Günter Grass   Die Box

Günter Grass

Die Box

Dunkelkammergeschichten

Steidl

In Erinnerung an Maria Rama

Übriggeblieben

Es war einmal ein Vater, der rief, weil alt geworden, seine Söhne und Töchter zusammen – vier, fünf, sechs, acht an der Zahl –, bis sie sich nach längerem Zögern seinem Wunsch fügten. Um einen Tisch sitzen sie nun und beginnen sogleich zu plaudern: jeder für sich, alle durcheinander, zwar ausgedacht vom Vater und nach seinen Worten, doch eigensinnig und ohne ihn, bei aller Liebe, schonen zu wollen. Noch spielen sie mit der Frage: Wer fängt an?

Zuerst kamen zweieiig Zwillinge, die hier Patrick und Georg, kurz Pat und Jorsch, in Wirklichkeit anders heißen. Dann erfreute ein Mädchen die Eltern, das nunmehr Lara gerufen wird. Alle drei Kinder bereicherten unsere überbevölkerte Welt, bevor die Pille käuflich, Verhütung zur Regel und Familien geplant wurden. So zählte ungerufen – und wie nach des Zufalls Laune geschenkt – noch jemand dazu, der eigentlich auf den Namen Thaddäus hören soll, aber von allen, die rund um den Tisch versammelt sind, Taddel genannt wird: »Hör auf zu blödeln, Taddel!« – »Latsch nicht auf deine Schnürsenkel, Taddel!« – »Los, Taddel, bring nochmal deine Rudi-Ratlos-Nummer...«

Obgleich erwachsen und von Beruf, Familie gefordert, reden Töchter und Söhne so, als wollten sie wortwörtlich rückfällig werden, als lasse sich, was nur in Umrissen dämmert, dennoch wie greifbar fassen, als könne Zeit nicht vergehen, als höre Kindheit nie auf.

Vom Tisch her sind zur Fensterseite hin ablenkende Blicke möglich: gehügelte Landschaft beiderseits des Elbe-Trave-Kanals, den alte Pappeln säumen, die, weil laut amtlichem Beschluß zu fremdartig, demnächst gefällt werden sollen.

In geräumiger Terrine dampft Eintopf, ein Linsengericht, das samt Hammelrippchen einladend der Vater auf kleiner Flamme gekocht und zum Schluß mit Majoran gewürzt hat. So war es schon immer: Vater kocht gern für viele. Fürsorge nennt er seinen Hang zur epischen Vielfalt. Aus gerechter Kelle füllt er Teller nach Teller und sagt jeweils einen seiner Sprüche dazu, etwa: »Schon der biblische Esau gab für ein Linsengericht seine Erstgeburt her.« Nach dem Essen wird er sich zurückziehen, um in der Werkstatt zeitabwärts zu verschwinden oder neben seiner Frau auf der Gartenbank zu sitzen.

Draußen ist Frühling. Drinnen wärmt noch die Heizung. Nachdem die Linsen gelöffelt sind, können die Geschwister zwischen Flaschenbier und trübem Apfelsaft wählen. Lara hat Fotos mitgebracht, die sie zu ordnen versucht. Noch fehlt etwas: Georg, der auf den Rufnamen Jorsch hört und von Berufs wegen zuständig ist, rückt, weil der Vater auf Tontechnik besteht, die Tischmikrofone zurecht, bittet um Sprechproben, gibt sich endlich zufrieden. Von jetzt an haben die Kinder das Wort.

Fang an, Pat! Bist nun mal der Älteste.

Ganze zehn Minuten früher als Jorsch warste da.

Na gut, was solls! Lange Zeit gabs nur uns. Vier hätten von mir aus genug sein sollen, zumal keiner gefragt hat, ob wir Lust hätten, mehr als zwei, drei, dann vier zu sein. Schon wir Zwillinge kamen uns abwechselnd überzählig vor.

Und du, Lara, hast dir später nix dringlicher als ein Hündchen gewünscht, wärst bestimmt gern als Tochter die letzte geblieben.

Bin ich jahrelang, selbst wenn ich mich manchmal, außer nach einem Hund, nach einem Schwesterchen gesehnt habe. Kam dann auch so, weil zwischen unserer Mama und unserem Väterchen kaum noch was lief, und – nehm mal an – er eine andere wollte, wie sie sich einen anderen nahm.

Und weil er und seine Neue sich was Gemeinsames wünschten, und beide meinten, auf die Pille verzichten zu können, gabs dich dann, noch ein Mädchen, das eigentlich wie Vaters Mutter heißt, nun aber – sogar auf eigenen Wunsch – als Lena mitreden will.

Nö, eilt kein bißchen. Erstmal seid ihr dran. Kann warten. Hab ich gelernt. Mein Auftritt kommt noch.

Da zählten Pat und Jorsch beinah sechzehn, ich dreizehn und Taddel ungefähr neun, als wir uns an ein Schwesterchen gewöhnen mußten.

Und an deine Mama auch, die außerdem Kinder mitbrachte, zwei Mädels nämlich…

Weil aber unser Väterchen keine Ruhe fand, lief er seiner Neuen davon, worauf er nicht wußte, wohin mit seinem angefangenen Buch, mit dem er sich mal hier, mal da einquartiert hat, um auf seiner Olivetti zu tippen.

Worauf ihm beim Suchen noch eine Frau ein Mädchen schenkte…

Unsere allerliebste Nana.

Die wir leider erst später, viel später zu sehen kriegten.

Königstochter jüngste…

Spottet nur! Aber im Tausch gegen meinen richtigen Namen soll ich nun wie die Puppe heißen, über deren Alltag mein Papa früher mal ein langes Gedicht in Kinderversen geschrieben hat, das so anfängt...

Bliebst jedenfalls die Jüngste. Und Vater fand bald darauf bei wieder ner anderen Frau endlich Ruhe. Die brachte euch Jungs mit, die jünger als Taddel waren und – von Pat und mir frei erfunden – jetzt Jasper und Paul heißen sollen.

Wollt ihr nicht fragen, ob den beiden solche Vornamen überhaupt passen?

Geht schon in Ordnung.

Heißen wir eben total anders...

...wie ihr ja auch.

Älter als Lena und viel älter als Nana wart ihr, habt aber nun mal familienmäßig dazugehört, so daß wir ab dann acht Kinder waren, die sich, zum Beispiel hier, guckt mal, auf Fotos – hab ich mitgebracht extra – mal einzeln, dann so oder so gemischt und hier, das war später, sogar alle zusammen erkennen können...

...wie wir wachsen und wachsen, hier ich, da Jorsch, mal kurz-, mal langhaarig, auf diesem Foto Grimassen schneiden...

...oder ich gelangweilt ne Show abzieh.

Auf dem hier Lara mit ihrem Meerschweinchen rumschmust...

Da Taddel mit offenen Schnürsenkeln vorm Haus rumlungert...

Oder hier Lena traurig guckt.

Wetten, daß es sowas in allen Fotoalben gibt, die bei fast jeder Familie rumliegen. Sind Momentaufnahmen, mehr nicht.

Kann sein, Taddel. Aber leider gingen viele Fotos, die, wie ihr wißt, bestimmt keine normalen Schnappschüsse waren, irgendwann verloren, schade drum, weil...

Zum Beispiel die mit Laras Hund drauf.

Oder all die Knipsfotos, auf denen ich, wie es oft heimlich mein Wunsch gewesen ist, auf einem Kettenkarussell zwischen meinem Papa und meinem Mütterchen durch die Lüfte... Schön war das... Ach...

Oder das Foto mit Taddels Schutzengel drauf.

Oder die Serie mit Paulchen an Krücken...

Fakt bleibt: alle, die normalen und die verschüttgegangenen, hat die alte Marie gemacht, weil sie, nur sie...

Also über Mariechen red ich. Fing wie ein Märchen an, etwa so: War mal ne Fotografin, die von einigen die alte Marie, von Taddel manchmal die olle Marie, von mir Mariechen genannt wurde. Sie gehörte von Anfang an zu unsrer zusammengestückelten Familie. Immer war Mariechen dabei, erst bei uns in der Stadt, dann bei euch auffem platten Land, auch mal hier und mal da während der Ferien, weil sie – war nun mal so – wie ne Klette an Vater hing und womöglich...

Aber genauso an uns, weil, wenn wir uns was wünschten...

Sag ich ja: von Anfang an, als wir erst zwei, dann drei, dann vier waren, hat sie uns fotografiert oder geknipst, wenn Vater sagte: »Knips mal, Mariechen!«

Und wenn sie in mieser Stimmung gewesen ist – konnt ganz schön launisch sein –, sagte sie von sich selbst: »Ich bin doch nur euer Knipsmalmariechen!«

Das aber nicht nur uns Kinder geknipst hat. Väterchens Frauen hat sie sich nacheinander vorgeknöpft, hier: zuerst unsre Mama, die auf jedem Foto aussieht, als würd sie gleich ballettmäßig tanzen wollen, dann Lenas Mutter, die immer wie verletzt guckt, dann die nächste, Nanas Mama, die auf fast allen Fotos über weißnichtwas lacht, und dann noch die letzte von den vier Frauen, Jaspers und Paulchens Mutter, der oft ein Wind die Ringellocken verweht…

Und bei der unser Vatti endlich Ruhe gefunden hat.

Doch selbst wenn er sich ein Gruppenbild mit seinen vier starken Frauen gewünscht haben wird – bin mir mit Jorsch einig, daß son Paschabild mit ihm in der Mitte ganz oben auf seiner Wunschliste stand –, hat sich Mariechen nur immer jede einzeln vorgenommen. Seht mal: hübsch der Reihe nach.

Uns aber hat sie geknipst, als wären wir aus nem Würfelbecher gefallen. Deshalb liegen nun hier jede Menge Fotos rum, können wir hin- und herschieben, wobei ich Nana bitte, nicht mit dem Tischmikrofon zu spielen, weil sonst…

Aber auch an die verlorengegangenen Schnappschüsse, an alles, was Mariechen aus uns gemacht hat, wenn sie mit den Rollfilmen in ihrer Dunkelkammer verschwand, sollen wir uns erinnern, nur weil Vater will…

Das mußt du schon genauer bringen, Pat: fotografiert hat sie mit der Leica und manchmal mit der Hasselblad, geknipst aber wurde mit der Box. Mit der, nur mit der Box ging sie für Vater auf Motivsuche für alles, was er so brauchte für seine Einfälle. Und diese Box war was Besonderes, aber eigentlich nur ne altmodische Kastenkamera der Firma Agfa, die auch die Rollfilme Isochrom B2 geliefert hat.

Ob Hasselblad, Leica oder die Box, eine davon hing immer an ihr.

»Haben alle mal meinem Hans gehört«, sagte die alte Marie zu jedem, der ihre Apparate bestaunte. »Mehr brauchte mein Hans nicht.«

Aber nur Pat und Jorsch wissen, wie ihr Hans aussah. Du hast immer gesagt, der war »son bulliger Typ mit ner höckrigen Stirn«. Und du: »Dem hing immer ne Zigarette an der Unterlippe.«

Auffem Kudamm, zwischen Bleibtreu und Uhland hatten die beiden ihr Atelier unterm Dach. Porträtfotos von Schauspielern und langbeinigen Ballerinen waren ihre Spezialität. Aber auch dicke Siemensdirektoren samt Gattinnen mit fetten Klunkern am Hals. Dazu noch die Gören stinkreicher Leute aus Dahlem und Zehlendorf. Die saßen in teuren Klamotten leicht schräg vor eine Leinwand gerückt und grinsten oder machten auf ernst.

Die alte Marie war zuständig für alles, was technisch Sache gewesen ist, für das Ausleuchten mit Speziallampen und was sonst noch anfiel: fürs Entwickeln der Filme, fürs Kopieren, Vergrößern und das pingelige Wegretuschieren von Warzen, ekligen Pickeln, Falten und Fältchen, zuviel Doppelkinn, Sommersprossen und Haaren auf der Nase.

Alles schwarzweiß.

Farbe existierte für ihren Hans nicht.

Für den gabs nur Grautöne.

So klein wir waren, glaub sie immer noch reden zu hören, wenn sie bei Laune war: »Aber richtig gelernt von der Pieke auf hab allein ich das. Trotzdem hat nur mein Hans, der sich das selber beibringen mußte, all die Leute, wie sie grad kamen… Ich war für die Dunkelkammer da. Davon verstand mein Hans nicht die Bohne.«

Manchmal, und so, als müßte sie Wörter sparen, hat sie von ihren Lehrjahren in Allenstein erzählt…

…ist ein Städtchen im masurischen Teil von Ostpreußen, hat uns Vater erklärt.

Heißt nun auf polnisch Olsztyn.

»Liegt in der kalten Haimat«, hat die alte Marie immer gesagt. »Jans wait im Osten. Is nu futsch alles und hin.«

Vater und Mutter waren dicke mit Hans und Mariechen befreundet. Tranken oft viel zusammen und lachten dabei laut, meistens bis spät in die Nacht, über Geschichten von früher, als sie noch jünger…

Auch von Vater und Mutter hat Hans Fotos vor ner weißen Leinwand gemacht. Immer mit der Hasselblad oder der Leica, nie mit der Agfa-Box Nummer 54, die auch Box I hieß und, als sie in den Handel kam, ein richtiger Renner gewesen ist, bis Agfa weitere Modelle auf den Markt brachte, zum Beispiel die Agfa-Spezial mit ner Meniskuslinse und…

Als Hans dann plötzlich starb, wurde er auf dem Zehlendorfer Waldfriedhof beerdigt.

Weiß ich noch ungefähr, wie das ablief. Kein Priester durfte dabei sein und reden, aber viele Vögel sangen.

Die Sonne schien, was uns geblendet hat. Ich und Jorsch standen links von Mutter, die neben Mariechen stand. Nur Vater sprach übers offene Grab weg von seinem Freund Hans, dem Schwarzweißfotografen, dem er fest versprochen hatte, sich von nun an um Mariechen zu kümmern, nicht nur finanziell, auch sonst.

Erst hat er leise, dann laut geredet…

Und zum Schluß zählte Vater alle Schnapssorten auf, die seinem Freund Hans geschmeckt hatten.

Die Männer, die von der Kapelle weg den Sarg zuerst gerollt, dann, glaub ich, zu viert zum Grab getragen, dann abgeseilt hatten, kriegten, könnt ihr glauben, mächtig

Durst alle, als Vater alle Schnäpse aufzählte und dabei nach jeder Sorte ne Pause machte.

Muß sich total feierlich angehört haben.

Wie ne Geisterbeschwörung.

Klar, war uns peinlich, weil er nicht aufhören wollte mit dem Aufzählen.

Die hießen, na, wie hießen die noch: Pflümli, Himbeergeist, Mirabell, Moselhefe oder so ähnlich.

Ein Schnaps hieß Zibärtle, den gibts bei mir in der Gegend, im Schwarzwald.

Auch Kirschwasser gehörte dazu.

Muß weißnichtwann gewesen sein, jedenfalls irgendwann nachem Mauerbau. Wir waren grad mal fünf. Du, Lara, erst zwei. Kannst dich bestimmt kein bißchen erinnern.

Und dich, Taddel, gabs noch lange nicht.

Wird im Herbst gewesen sein. Überall standen Pilze. Unter den Friedhofsbäumen. Im Gebüsch. Hinter Grabsteinen. Einzelne und in Gruppen. Vater, der schon immer nach Pilzen verrückt war und sicher ist, jeden Pilz zu kennen, hat auffem Rückweg vom Grab alles, was er für eßbar hielt, mitgehen lassen.

Seinen Hut voll, weiß ich noch.

Und aus seinem Taschentuch hat er nen Beutel gemacht.

Die gabs dann zu Hause, gemischt mit Rührei.

Als »Leichenschmaus«, soll er gesagt haben.

Damals, als Hans begraben wurde, wohnten wir noch in der Karlsbader, in einer Halbruine, die vom Krieg übriggeblieben war.

Als Mariechen nun aber ganz allein lebte in dem großen Atelier, wußte sie nicht, was machen mit sich. Erst als Vater sie beredet hat – sowas kann er –, fing sie an, mit der Leica, dann mit der Hasselblad, dann aber mit der Box, fast nur mit der Box, für Vater besondere Sachen und gefundenes Zeug zu knipsen, na, Muscheln, die er von Reisen mitbrachte, kaputte Puppen, krumme Nägel, ne unverputzte Mauer, Schneckenhäuser, Spinnen im Netz, plattgefahrene Frösche, sogar tote Tauben, die Jorsch gefunden hatte...

Später dann Fische auffem Friedenauer Wochenmarkt...

Auch halbe Kohlköppe...

Aber angefangen, alles zu knipsen, was für ihn wichtig gewesen ist, hat sie schon in der Karlsbader...

Stimmt! Ging los mit der Knipserei, als Vater mit seinem Buch, das er damals in der Mache hatte und das von Hunden und Vogelscheuchen handelte, aber noch lange nicht fertig war, mit dem er dann aber richtig Knete gemacht hat, so daß er für uns das Friedenauer Klinkerhaus kaufen konnte...

Nun kam die alte Marie auch in die Niedstraße, um für ihn lauter Zeug zu knipsen...

...und uns Kinder, wie wir immer größer wurden, hat sie vor ihre Wünschdirwasbox gestellt. Und für mich, nur für mich sind dann, als mein Meerschweinchen runder und runder...

War später, Lara. Erstmal sind Jorsch und ich dran, weil wir nämlich...

Seh noch, wie sie mit angezogenen Schultern vor dem halb kaputten Haus steht mit dem Kasten vorm Bauch und den Kopf gesenkt hält, als würd sie sich auf den Bildsucher ihrer Agfa-Box konzentrieren.

Hat aber immer nur nach Gefühl geknipst und dabei oft in ne andere Richtung geguckt.

Und ihre Haare waren ganz komisch geschnitten. Zu ner Bubikopffrisur, wie Vater das nannte.

Sah aus wie ein verknittertes Mädchen, dünn und flach vorne. Und der Kasten, der an ihr hing und mit dem sie...

Hör zu, Pat! Das mußte genauer bringen. Erstmal nur Fakten: die Agfa-Box kam schon 1930 auf den Markt, war aber nicht die erste Kastenkamera. Die hatten, versteht sich, die Amerikaner vor Neunzehnhundert entwickelt. Hieß auch nicht Box, sondern Brownie und wurde von der Eastman Kodak Company in Massen geliefert. Brachte aber schon das Bildformat sechsmalneun, wie später die Tengor von Zeiss-Ikon und die, wie damals gesagt wurde, »Volkskamera« der Firma Eho. Doch erst die Agfa-Box ist richtig unters Volk gekommen, als nämlich mit dem Werbeslogan »Wer fotografiert, hat mehr vom Leben...«

Wollt ich grad sagen. Denn genau solch eine Box hatte unser Mariechen von ihrem Onkel oder einer Tante geschenkt bekommen, als sie ein junges Ding war und ihre Lehre begonnen oder grad fertig hatte. War noch in Allenstein...

Und diese Agfa-Box kostete – hab ich nachgeprüft –, mit zwei Isochrom-Rollfilmen und nem Lehrbuch für Anfänger als Zugabe, sechzehn Reichsmark genau.

Und mit solch einer Box hat sie später dann dich, unseren kleinen Taddel, geknipst, wenn du im Sandkasten Jorschs Matchboxautos verbuddelt hast, und dann hat sie mein Meerschweinchen, das damals...

Aber hauptsächlich uns, wenn wir auf dem Hinterhof an der Reckstange turnten...

Am Reck hat sie aber auch unser Väterchen geknipst, der jedesmal, wenn Besuch kam, unbedingt beweisen wollte, daß ihm rein turnermäßig noch immer der Felgaufschwung, manchmal sogar eine Bauchwelle gelang.

Doch als sie dann viel später, wenn auch leider nur wenige Male, mich geknipst hat, fiel euer Mariechen nie dabei auf. Immer hielt sie sich abseits und wirkte, schmal wie sie war, irgendwie verloren. Sah vereinsamt aus, nicht eigentlich traurig, was ja im Prinzip zu verstehen gewesen wäre, eher wie abwesend. »Ich bin ja bloß übriggeblieben«, sagte sie zu mir, als sie meinen Papa, mein Mütterchen und mich zum deutsch-französischen Volksfest draußen in Tegel begleitete, wo wir auf einem Kettenkarussell hoch durch die Lüfte… Ach, war das schön, wie wir…

Genau, Nana! Denn von ihrer Agfa-Box, die äußerlich vergammelt und an den Ecken bestoßen aussah, hat sie dasselbe gesagt: »Die ist von allem, was mein Hans und ich mal hatten, übriggeblieben, häng deshalb an ihr.«

Sobald wir fragten: »Wovon biste denn übriggeblieben, Mariechen?«, redete sie vom Krieg.

Aber nicht über das, was ihr Hans im Krieg erlebt und gemacht hatte, sondern nur über das, was ihr wichtig gewesen ist. »Mein Hans«, hat sie zu unserem Vater gesagt, »der kam nur, wenn er Fronturlaub hatte oder auf Dienstreise war. Hat womöglich unterwegs schlimme Sachen gesehen. Na, im Osten und überall. Hat man nicht Worte für. Achachach.«

Ihr Fotoatelier muß damals woanders gewesen sein, zwar auch auffem Kudamm, doch mehr Richtung Halensee.

Davon bekam Vater ne lange Story erzählt, wobei Pat und ich zuhörten: »Wir wurden ausgebombt gegen Schluß. Ein Glück, daß mein Hans weg an der Front war und die Leica und die Hasselblad bei sich hatte. Sonst blieb nuscht. Alles futsch und verbrannt, während ich unten im Keller… Das ganze Archiv verschmurgelt. Die Lampen bloß noch Schrott. Nur die Box blieb übrig, weiß nicht, warum. War bißchen angekokelt, besonders der Lederkasten, in dem sie mal steckte.«

Und dann hat sie noch gesagt: »Meine Box macht Bilder, die gibts nicht. Und Sachen sieht die, die vorher nicht da waren. Oder zeigt Dinge, die möchten euch nicht im Traum einfallen. Ist allsichtig, meine Box. Muß ihr beim Brand passiert sein. Spielt verrückt seitdem.«

Manchmal sagte sie: »So ist das, Kinder, wenn man übrigbleibt. Man steht in der Gegend rum und tickt nicht mehr richtig.«

Nie wußten wir genau, wer nicht mehr richtig tickte. Sie oder die Box oder alle beide.

Was aus der Hasselblad und der Leica wurde, weiß ich von Vater, der das paarmal zu hören bekam: »Die hat mein Hans übern Krieg gerettet, weil er als Soldat nie geschossen hat, sondern überall an der Front nur Fotograf gewesen ist. Damit kam er zurück. Hatte auch unbenutzte Filme, den Rucksack voll. Die waren dann unser Kapital gleich nach Schluß. Konnten wir sofort mit anfangen, als es hieß: nu is Frieden endlich.«

Anfangs hat ihr Hans nur Besatzer, meistens Amis fotografiert, auch nen englischen Oberst.

Dann kam sogar ein französischer General. Der zahlte mit ner Flasche Cognac.

Und einmal sollen von der Besatzung drei Russkis hochgekommen sein. Klar! Brachten Wodka mit.

Die Amis kamen mit Zigaretten.

Und vom Tommy kriegten sie Tee und Corned Beef.

Und einmal, als wir dabei waren, sagte Mariechen:

»Nee, Kinder, mit der Box haben wir die Besatzer nie geknipst. Mein Hans hat nur mit der Leica und manchmal mit der Hasselblad auch. Die Box war für ihn als Erinnerung übrig an früher, als wir zwei es noch lustig hatten, mein Hans und ich. Außerdem – aber das wißt ihr ja schon – tickt die nicht richtig, die Box.« Nur wenn mein Atze, Jorsch mein ich – ich sag immer noch Atze zu ihm – nicht lockerließ...

Logo, weil ich wissen wollte, was Sache war...

...und gefragt hat: »Was heißt das, die Box tickt nicht richtig?«, hat sie versprochen: »Irgendwann zeig ich euch, was dabei rauskommt, wenn man übrigbleibt, nicht mehr richtig tickt und Sachen sieht, die nicht oder noch nicht da sind. Außerdem seid ihr zu klein dafür und zu frech und glaubt sowieso kein bißchen, was meine Box ausspuckt, wenn sie nen guten Tag hat. Weiß jedenfalls immer schon vorher Bescheid, seitdem sie das Feuer überlebt hat.«

Wenn wir mit Vater bei ihr auf Besuch waren, tuschelten beide, sobald sie aus der Dunkelkammer kam.

Uns schickte sie dann auffen Balkon oder gab uns leere Filmrollen zum Spielen.

Nie sagten die beiden, was Sache war, redeten immer nur in Andeutungen, taten geheimnisvoll. Dabei kriegten wir trotzdem mit, daß es immer um Vaters dickes Buch ging, in dem ne Menge Hunde und sowas wie mechanische Vogelscheuchen vorkommen sollten. Hatte dann, als es fertig war, vorne als Schattenriß ne Hand drauf, die sah wien Hundekopf aus.

Aber zu uns hat Vater, wenn wir nach Mariechens Fotos fragten, nur gesagt: »Das ist noch nichts für euch.« Und zu Mutter sagte er: »Womöglich hängt alles mit ihrer masurischen Herkunft zusammen. Was unsere Marie sieht, ist weit mehr, als wir gewöhnlichen Sterblichen wahrnehmen können.«

Und dann erst, aber schon, bevor er seine »Hundejahre« fertiggetippt hatte, kamst du, Lara...

An einem Sonntag sogar...

Nun bekommen wir endlich die Geschichte vom Meerschweinchen...

Gleich, Nana, noch sind wir dran.

Unser Schwesterchen kam uns nämlich irgendwie anders vor.

Schon als sie noch nicht laufen konnte, lächelte Lara nur, wie Vater gesagt hat, »versuchsweise«.

Ist heute noch so.

Und als sie dann laufen konnte – stimmts, Jorsch? –, ging sie immer paar Schritte abseits.

Oder du bist uns hinterher, nie voraus...

Sobald Vater und Mutter dich an die Hand nehmen wollten, na, wenn wir als Familie sonntags vom Roseneck weg zum Grunewald gelatscht sind, haste die Hände auffem Rücken verschränkt.

Und richtig gelacht haste nur, als du später ein Meerschweinchen geschenkt bekamst, aber immer nur dann, wenn dein Meerschweinchen quiekte.

Konnteste sogar nachmachen, das Quieken.

Kann ich immer noch. Soll ich?

Und weil unsre Lara nie ein Fotogesicht machte, hat die alte Marie sie noch und nöcher geknipst.

Erst in der Karlsbader, dann in Friedenau, auf der Schaukel, im Hinterhofgarten, am Tisch vor leergefuttertem Kuchenteller...

Und immer nochmal mit ihrem Meerschweinchen...

Als aber das Viech, das ein Weibchen war, mal bei Nach-
barkindern unter andere Meerschweinchen geriet, zu
denen mindestens ein Männchen gehörte, ist es passiert,
und zwar auf die Schnelle…

Dabei hab ich mir das gewünscht, ganz heiß. Denn als
nun noch Taddel dazukam, der bald, kaum konnt er laufen, richtig frech wurde, und ich zwischen drei Brüdern
steckte, es außerdem immer nur um Taddel ging, weil du ja
sooo klein und sooo süß warst, außerdem nie was dafür
kohntest, wenn wasauchimmer kaputt war – nein, Taddel,
jetzt bin ich dran! –, da hat sich die alte Marie um mich
gekümmert und mit ihrer altmodischen Box mein Meerschweinchen, das runder und runder wurde, extra für
mich geknipst. Einen ganzen Film, immer wieder. Und nur
mir, nicht euch hat sie die Fotos gezeigt. Ja doch, da hab ich
lachen müssen, echt laut. Aber keiner – ihr beide nicht,
und du, Taddel, schon gar nicht – wollte mir glauben, was
man sehen konnte auf allen Bildchen, die die alte Marie in
ihrer Dunkelkammer gezaubert hatte. Ehrlich, auf jedem
waren drei niedliche, frischgeborene Meerschweinchen
genau zu erkennen. Sahen süß aus, wie sie an ihrer Mutter
genuckelt haben. Sowas hat nämlich die Box richtig vorausgewußt, daß es genau drei sein würden. Und als es
dann soweit war, haben alle, nicht nur ihr beide, auch du,
Taddel, bloß noch gestaunt, weil es ein Dreierwurf war.
Eins süßer als das andere. Nein, alle gleich süß. Die Fotos
aber hab ich versteckt. Nun besaß ich vier Meerschweinchen. Waren natürlich zu viele. Weshalb ich zwei von den
Jungen verschenken mußte. Doch eigentlich hab ich mir
damals schon, weil Meerschweinchen ziemlich langweilig
sind und sich nur meerschweinmäßig benehmen können,
nämlich bloß fressen und quieken, was nur manchmal

komisch war, ein Hündchen gewünscht. Aber alle sind dagegen gewesen. »Ein Hund in der Stadt, wo er keinen richtigen Auslauf hat, was soll das?« hat Mama gesagt. Unser Väterchen hatte eigentlich nichts dagegen, ließ aber trotzdem einen seiner Sprüche hören: »Außerdem gibts in Berlin Hunde genug.« Nur die alte Marie war dafür. Deshalb hat sie mich eines Tages, als alle irgendwo im Haus mit irgendwas beschäftigt waren, unterm Apfelbaum geknipst und dabei echt altmodische Wörter wie Balsam, Labsal und Honigseim gemurmelt. Dann flüsterte sie: »Wünsch dir was, Larakind, wünsch dir was Schönes.« Und als sie mir paar Tage später die Fotos zeigte – sind acht Stück gewesen –, war – ehrlich! – auf jedem Bild ein strubbeliges Hündchen drauf, das mal links, mal rechts von mir saß, mich ansprang, Männchen machte, meine Hand leckte, Pfötchen, Küßchen gab, einen niedlichen Ringelschwanz hatte und genau so mischlingsmäßig aussah wie später, nur paar Jahre später mein Joggi. – »Das bleibt aber unser Dunkelkammergeheimnis«, hat die alte Marie zu mir gesagt und dann die Fotos alle behalten, weil, wie sie meinte, »uns sowas ja doch kein Aas glaubt.«

Stimmt nicht! Haben alles, damals...

Nur du, Taddel, hast anfangs nicht.

Hielt das für absoluten Schwachsinn.

Hast dann doch...

Wie später Jasper, der zuerst auch nicht...

...dann aber glauben mußte, weil total alles bewiesen wurde, wie du mit deinem Kumpel...

Hör bloß damit auf, Paulchen!

Aber Lena und ich haben, als wir viel später dazukamen, kein bißchen gezweifelt, als euer Mariechen uns, genau wie euch, manchmal erfüllen konnte, was wir uns heimlich gewünscht hatten, daß nämlich endlich jede von uns mit ihrem Papa gemeinsam und ganz oft…

Okay! Okay! Aber Beweise hat keiner…

Geht mir genauso, Jasper. Und will mir bis heute nicht in den Kopf, was ich als Kind geglaubt und, wie ich glaubte, auch gesehen habe. Seitdem sich aber meine kleine Tochter, wie damals ich, nichts sehnlicher als ein Hündchen wünscht, wär ich froh, solch eine Wünschdirwasbox zu haben, wie die alte Marie eine hatte, eine, die richtig verrücktspielt, wenn ringsum alles vernunftmäßig abläuft und nur noch anstrengend ist. Doch als zuerst auf den Fotos und dann in echt mein Joggi…

…der alles andere als ein Rassehund war.

…eher ne typische Promenadenmischung.

…dazu grottenhäßlich…

…aber trotzdem ein ganz besonderes Hündchen gewesen ist. Das fanden alle, sogar ihr Jungs manchmal. Habt euch immerzu gestritten. Und dann gabs ja noch dich, Taddel. Kein Wunder, wenn ich oft, weil eingequetscht zwischen euch, gejammert hab. Habt mich deshalb Quietschkommode genannt, bloß weil mein Väterchen mal gesagt haben soll, vielleicht, um mich zu trösten, »Meine kleine Quietschkommode«. Doch richtig trösten konnte mich nur mein Joggi. Stimmt, war ein Mischling, halb Spitz, halb nochwas, aber deshalb schlau und echt witzig. Joggi konnte mich sogar zum Lachen bringen, wenn er den Kopf schief hielt und dabei bißchen gelächelt hat. Außerdem war er stubenrein und guckte nach links und rechts, ob Autos kamen, wenn er über die Straße wollte. Sowas hab ich ihm beigebracht, damit er sich verkehrsmäßig richtig verhielt. Denn Joggi hörte auf mich. Nur daß er manchmal stundenlang weg war, »auf Trebe«, wie ihr Jungs gesagt habt, war ihm nicht abzugewöhnen. Nicht jeden Tag, aber ungefähr zweimal die Woche riß er aus. Manchmal sogar am Sonntag. Und keiner wußte, wohin er weg war, bis ihm die alte Marie auf die Schliche gekommen ist. »Das kriegen wir raus, Larakind!« hat sie gesagt. Und wenn mein Joggi von einer Ausreißtour zurückkam, den Kopf schräg hielt, ganz unschuldig tat und lächelte, stellte sie sich vor ihn hin und knipste ihn mit ihrer Box. Meistens im Stehen, manchmal im Knien. Gleich paarmal nacheinander. »Dich sperr ich jetzt in die Dunkelkammer«, rief sie jedesmal, wenn sie den Film zu Ende geknipst hatte. Und richtig, am nächsten Tag schon zeigte die alte Marie mir, nur mir, die Abzüge: acht kleine Fotos, auf denen man genau sehen konnte, wie mein Joggi die Niedstraße runterrennt, auf dem Friedrich-Wilhelm-Platz treppab in der U-Bahnstation verschwindet, gleich darauf wieder da ist, zuerst ganz ruhig auf dem Bahnsteig zwischen einer Oma und irgendeinem Typ sitzt, nun mit wehendem Ringelschwänzchen durch eine offene Waggontür springt, danach zwischen lauter fremden Leuten mit seinem Schwänzchen wedelt, Pfötchen gibt, sich streicheln läßt und dabei, ehrlich, sogar bißchen lächelt. Außerdem konnt man sehen, wie er an der U-Bahnstation Hansaplatz aussteigt, treppauf, dann treppab läuft, und wie er nun auf dem gegenüberliegenden Bahnsteig ganz ruhig absitzt, nach links guckt und wartet, bis der Zug Richtung Steglitz kommt, in den er mit einem Hopser einsteigt und wieder zurückfährt. Zuletzt war mein Joggi wieder auf der Niedstraße zu sehen. Hatte es aber überhaupt nicht eilig, nach Hause zu kommen, streunte an Zäunen entlang, schnupperte an jedem Baum, hob ein Hinterbein. Natürlich hab ich die Fotos keinem gezeigt, euch Jungs schon gar nicht. Doch wenn unser Väterchen oder meine Mama gefragt haben, »Wo ist denn dein Joggi hin? Wieder mal ausgerissen?«, hab ich überhaupt nicht geschwindelt: »Mein Joggi fährt nun mal gern U-Bahn. Neulich ist er Bahnhof Zoo umgestiegen. Hat bestimmt einen Ausflug nach Neukölln gemacht. Vielleicht gibts da eine Hündin, die ihm gefällt. Auch draußen in Tegel ist er schon gewesen. Oft fährt er mit Umsteigen bis zum Südstern, um sich längs der Hasenheide zu vergnügen, bestimmt, weil es da besonders viele Hunde gibt. Wer weiß, was mein Joggi alles erlebt unterwegs. Lauter kleine Abenteuer. Ist nun mal ein typischer Stadthund. Letzte Woche hätte man sogar sehen können, wie er in Kreuzberg an der Mauer entlanglief, immer weiter, als ob er ein Loch gesucht hätte, um mal kurz rüber… Wunder mich ja genau wie ihr, was er rein ausreißmäßig drauf hat. Findet aber immer zurück.« Aber wieder mal hat mir keiner glauben wollen, ihr Jungs schon gar nicht.

Kennen wir ja, die Story…

Hört sich immer noch irre an.

Unser Väterchen hat damals zu mir gesagt: »Schon möglich, wenn man den Schock bedenkt, den die Box während des Krieges erlitten hat, als sie, nur sie übrigblieb…«

Und mir rief mein Papa zu, als wir beide auf dem Kettenkarussell: »Wirst sehen, Nana, alles wird gut werden später, wenn wir zusammen…«

Unser Vater erzählt viel!

Und keiner weiß hinterher, wieviel davon wahr ist.

Dann laßt doch mal Paulchen erklären, was an der Box Sache gewesen ist und was nur gesponnen.

Hast doch bei ihr in der Dunkelkammer bestimmt alle Tricks mitbekommen.

Warst ihr Assistent, hat sie gesagt.

Und zwar bis zum Schluß.

Weiß nur soviel: was Marie mit ihrer Agfa belichtet hatte, kam genau so raus. Lief total ohne Schummel ab, so irre das aussah.

Sag ja, genau wie Paulchen: Wirkte ganz normal, wie mein Joggi U-Bahn fuhr. Meistens weit weg mit Umsteigen auf andere Linien. Nur einmal ist er schon auf einer ganz nahen Station, war Spichernstraße, ausgestiegen, weil er einer Hündin – glaub, ist ein Pudel gewesen – hinterher wollte. Aber der Pudel hatte wohl echt keine Lust drauf...

Und was Joggi noch alles konnte: genug für den Anfang. Nachdem der Vater einige Wörter gestrichen, im Ausdruck gemildert oder zugespitzt hat, fällt ihm zu Mariechen und ihrer übriggebliebenen Box noch dies und das ein. Wie oft sie verdüstert abseits stand. Auf was sie starrte, als müßten in Steine Löcher gebohrt werden. Weshalb sie, selbst in Gesellschaft, vereinzelt blieb. Was gezischelt zu hören war, bevor sie in der Dunkelkammer verschwand: kurzgehaltene Verwünschungen, ihren toten Hans beschwörende Langsätze, masurische Streichelwörter gereiht.

Und rasch einander löschende Bilder sieht er, auf denen sie stehend, die Füße eng beieinander, oder aus der Hocke heraus in Serien ihre zeitfernen Schnappschüsse knipste: kindliche Wünsche, sich zwanghaft wiederholende Ängste, aber auch Nachträgliches und Vorweggenommenes aus dem Eheleben der Eltern.

Doch darüber wollen die Töchter, die Söhne nicht reden, davon bekamen sie nichts zu sehen. Wäre ihnen peinlich gewesen, einen Rollfilm lang Rückblicke auf Gläser, die die Mutter, während verschreckt der Vater zuschaut, eines nach dem anderen zornig zerschmeißt: Scherben hinterm Festzelt, gleich nach dem Tanz, weil nämlich schon damals, wie viele Jahre später... So allsichtig war die Box.

Ohne Blitzlicht

Diesmal hocken, nach Vaters Regie, nur die vier Erstgeborenen beieinander. In einem ehemaligen Kasernengelände, das von mehr oder weniger alternativ lebenden Grünen bewohnt sein mag, und in dem Pat genügsam Zuflucht gefunden hat, machte er seinen Geschwistern das Angebot: »Koch euch Spaghetti, was schnell geht, mit ner Tomatensoße und Reibekäse dazu. Hab Rotwein, oder was ihr sonst trinken wollt. Ist eng hier. Aber was solls!«

Beide Kinder sind heute, wie wochentags meistens, bei seiner Frau, von der er getrennt lebt. Jorsch, der ohnehin in der Nähe mit einem Filmteam bei Dreharbeiten zu etwas Ähnlichem wie »Schwarzwaldklinik« dabei ist, zu dem er »den Ton macht«, hatte den kürzesten Weg nach Freiburg. Desgleichen Taddel, der als Regieassistent zum Team gehört. Den Flaschen, die Pat auf den Tisch stellt, ist abzulesen, daß der Wein aus der Region kommt. Lara hat sich für einige Tage von ihrer Familie freimachen können. Sie ist erleichtert, mal ohne Kinder zu sein.

Die Spaghetti werden gelobt. Den Tisch, um den die Geschwister sitzen und in dessen Mitte eine Schieferplatte, geeignet für kindliche Kreidezeichnungen, eingelassen ist, hat Pat, der nach seiner Zeit als Ökobauer eine Tischlerlehre beendete, gehobelt, gefugt, geleimt. Alle bestaunen die Ordnung in seiner verschachtelten Wohnung, der er einen Zwischenstock für die Tochter, das Söhnchen gezimmert hat und in deren kleinste Schachtel sein Büro gezwängt ist, das eher einem Privatarchiv gleicht. Auf Regalen stehen dicht bei dicht Tagebücher, die er seit Jahren füllt: »Na, mit allem, was los war mit mir. Wie ich mich immer noch mal verändern, was Neues anfangen mußte...«

Lara lächelt andeutungsweise. Sie will sich diesmal zurückhalten. Dem kann die fernsteuernde Regie nur zustimmen. Ohnehin werden die Zwillingsbrüder bemüht sein, den Fortgang ihrer Kindheitsgeschichte voranzutreiben.

Stimmt überhaupt nicht, daß du, Lara, außer Vater die einzige gewesen bist, die aus Mariechens verrückter Box Fotos zu sehen bekommen hat.

Genau, Atze! Kriegten wir schon mit, als wir erst vier oder fünf zählten und du, Lara, grad mal geboren warst.

Tut uns leid, Taddel. Von dir ist immer noch keine Rede.

Kann mich sonst kaum oder nur verschwommen erinnern, wie durch ne Milchglasscheibe, doch an die Fotos genau, weil nämlich oben unterm Dach...

Da wohnten wir noch in dem Haus in der Karlsbader, in dem nur rechts von der Treppe unter uns Mieter wohnten: ne alte Dame mit ihrem Sohn, der beim Rundfunk – weiß nicht, ob beim RIAS oder SFB – irgendwas Wichtiges darstellte. Und unten, fast im Keller, gabs ne Wäscherei.

Doch links von der Treppe bis hoch zum Dachstuhl war alles Ruine. Zwei, drei ausgebrannte Wohnungen. Und unterm kaputten Dach nur verkohltes Gebälk, mit einem Warnschild davor. Stand bestimmt »Betreten verboten!« drauf oder ähnliches.

Aber ganz unten, wo nix ausgebrannt war, hatte sich ein Tischler eingerichtet, der hinkte. Muß ein netter Typ gewesen sein. Bei ihm habe ich mir Hobelspäne geholt, die so langgelockt waren wie später, als das Mode wurde, die Haare bei den Achtundsechzigern, und noch später bei uns, weil auch wir gerne...

Und der Tischler mit dem Hinkebein hatte immer Zoff mit der Frau von der Wäscherei, die nicht nur zänkisch, sondern ne richtige Hexe war. Hat sogar Mutter gesagt: »Die hat den bösen Blick, Kinder, paßt auf!«

Weiß noch, wie uns die alte Hex beschimpft hat, weil du ihr tote Tauben, zwei drei Stück, die ganz oben im Dachstuhl zwischen Gerümpel rumlagen, vor die Tür von ihrer Wäscherei gelegt hast. Waren schon halb vergammelt, mit Maden drin.

Müßt ihr euch vorstellen – du auch, Lara –, durch die Heißmangel, hat sie geschrien, wollt sie uns drehn. Alle beide.

Aber unsere Wohnung, die im Krieg nicht gebrannt hatte, war viel größer als die in Paris, wo wir in nur zwei Zimmern, weil Vater und Mutter immer knapp Geld hatten und an allem sparen mußten. Nun aber konnte Vater, weil er nämlich mit seiner »Blechtrommel« richtig Knete gemacht hatte, für uns und seine vielen Gäste sogar Hammelkeulen kaufen und mit nem Taxi in die Stadt, wenn ihm für sein Hundebuch, das er in der Mache hatte, nichts einfallen wollte...

Manchmal ist er schon nachmittags ins Kino...

»Um mich abzulenken«, hat er gesagt.

Bestimmt auch, weil er von dem, was er machte, rein distanzmäßig ab und zu wegmußte.

Jedenfalls hatten wir nun ne Putzfrau sogar, die auf uns aufpassen sollte, wenn Mutter den Franzosenkindern von der Besatzung schwierige Tanzschritte und Spitzestehen beibrachte.

Weiß ich nicht mehr. Aber hell und groß war unsere Wohnung.

Hatte fünf Zimmer, ein richtiges Bad und einen langen Flur, in dem wir…

Und oben unterm Dach, in der nicht kaputten Hälfte, hatte Vater sein Atelier mit ner Treppe drin, zu einer Galerie hoch, wie er das nannte.

In unserer Gegend standen noch viele Häuser, die halb ausgebrannt waren und trotzdem bewohnt wurden. Und du, Atze, sollst, wenn wir als Familie sonntags spazierengingen und irgendwo eine Ruine sahen, die früher mal ne protzige Villa mit Säulen und überall Türmchen drauf gewesen ist, immer gesagt haben, »Hat Jorsch kaputtgemacht«, na, weil bei dir alles, jedes neue Spielzeug, gleich ob Auto, Schiff oder Flieger, kaum stand es auffem Geschenktisch, in Nullkommanix kaputt – peng! –, in die Brüche ging.

Klar, weil ich immer schon wissen sollte, wies drin aussieht und funktioniert.

»Materialprüfer« hat dich unsere Mama genannt.

Irgendwann starb dann der Hans von der alten Marie, die, rechne mal nach, Atze, zehn oder noch mehr Jährchen älter war als unser Vater. Der muß um die Zeit Mitte dreißig, aber schon so berühmt gewesen sein, daß sich die Leute, wenn er mit uns auffem Wochenmarkt einkaufen ging, nach ihm umgedreht und getuschelt haben.

Hat gedauert, bis wir uns dran gewöhnten.

Jedenfalls kam, kaum war ihr Hans tot, die alte Marie mit ihrer verrückten Box in die Karlsbader und hat unser Haus zuerst von vorn und hinten, dann alle ausgebrannten Wohnungen von innen…

Hat sie gemacht, weil Vater das wollte. War immer schon so. Wenn er sagte »Knips mal, Mariechen!«, hat sie geknipst.

Seine Extrawünsche: Fischgräten, abgenagte Knochen, was sonst noch…

Hab später auch ich erlebt, wie sie, als unser Väterchen nur noch Pfeife rauchte, seine abgebrannten Streichhölzer, die überall rumlagen…

Sogar auf die Krümel von seinem Radiergummi war sie fixiert, weil nämlich in jedem Krümel, hat sie gesagt, ein Geheimnis steckt.

Und vorher, weißte noch, Lara, waren es die Kippen von seinen Zigaretten, die er sich selbst gedreht hat und die, jede Kippe anders krumm, durcheinander mit den runtergebrannten Streichhölzern, in Aschenbechern oder sonstwo…

Absolut alles hat sie geknipst.

Womöglich heimlich seine Kacke sogar.

Sag ich ja: genau so war es mit dem kaputten Haus, um das Bäume rumstanden, ziemlich hohe, Kiefern wahrscheinlich.

Aber Taddel will noch immer nicht glauben, was ich und Jorsch, als wir beide…

…was aber Fakt gewesen ist. Denn was die alte Marie mit ihrer Agfa-Box knipste, kam, kaum hatte sie die Rollfilme in ihrer Dunkelkammer entwickelt, ganz anders als in Wirklichkeit raus.

War bißchen gruslig zuerst.

Jedenfalls haben wir keinem, nicht mal Mutter, erzählt, daß wir heimlich in Vaters Atelier… Aber nicht auf seiner Arbeitsplatte vorm großen Fenster, aus dem man weit gucken konnte, nein, oben auf der Galerie, wo seine vielen Zettel an Balken hingen, auf denen lauter mit Filzstift geschriebene Hundenamen…

Und genau da hatte er die Fotos aus Mariechens Dunkelkammer der Reihe nach angepinnt.

Was wir auf den Abzügen sehen konnten, war wie aus nem anderen Film. Wußten wir doch, wie es in der kaputten Haushälfte in echt aussah. Links von der Treppe waren zwar alle Wohnungen mit Türen versperrt, vor denen dicke Schlösser hingen, aber Vater, der sich vom Hauswirt, den er bereden konnte, die Schlüssel geholt hatte, erlaubte uns beiden mitzukommen, als er sich von der alten Marie das Haus nun auch von innen abfotografieren ließ.

Drinnen war alles, was von früher rumlag oder an den Wänden stand, nur noch Gerümpel und Schrott. Spinnennetze mit ekligen Spinnen hingen rum.

Löcher in der Zimmerdecke…

Kam Wasser durch, tropfte…

Kam uns unheimlich vor, so daß Pat zuerst Bammel hatte. Wollte nicht tiefer in die dusteren Bruchbuden rein. Überall hatten Tauben hingeschissen.

Und überall fetzten rußigschwarze Tapeten von den Wänden, so daß man die Zeitungen sah, die früher, ganz früher mit Kleister druntergeklebt wurden, wenn man neu tapezierte.

Wir konnten ja noch nicht lesen, aber Vater erzählte uns, was in den Zeitungen stand, na, was lange vorm Krieg in der Stadt und sonstwonoch losgewesen ist: jeder gegen jeden. Ne Menge Mordgeschichten und Prügeleien. Saalschlachten nannte er das. »Und hier, Kinder«, hat er gesagt, »steht, was in den Kinos lief. Und hier, welche Regierung gerade gestürzt wurde. Und hier, ganz dick als Überschrift, steht gedruckt, daß die rechten Lumpen schon wieder einen Politiker ermordet haben.«

Und das habt ihr beide sofort kapiert, schlau, wie ihr schon immer gewesen seid?

Logo. Auch daß das Geld immer weniger wert wurde, hat uns Vater vorgelesen: war Inflationszeit.

Hast recht, Taddel. Konnten wir damals so nicht kapieren. Waren zu klein für.

Ist uns aber später, von mir aus viel später klargeworden, was Inflation bedeutete.

Doch schon am nächsten Tag hat Vater uns auf der Koenigsallee genau die Stelle gezeigt, wo passiert ist, was in der Zeitung unter den abgefetzten Tapeten zu lesen stand. »Hier«, hat er gesagt, »haben die Lumpen Rathenau abgeknallt, als er in seinem offenen Dienstwagen saß, der hier, in der Kurve, immer langsam gefahren ist…«

Und noch viel mehr stand auf den Zeitungsbögen gedruckt: Werbung für Schuhcreme, komische Hüte, Regenschirme, Persil ganz groß…

Vater hat sich paar Blatt, die nur noch locker auf Putz klebten…

…weil er schon damals alles gesammelt hat, was von früher war…

Und – stell dir vor, Lara – in der Wohnung, die genau unserer gegenüberlag, stand der Rest von nem Klavier rum.

Nicht doch, Atze! War ein richtiger Flügel, so einer wie der, der heute im Musikzimmer von Jaspers und Paulchens Mutter steht, auf dem sie aber immer nur spielt, wenn ihr keiner, nicht mal die Putzfrau, und Vater schon gar nicht, zuhört.

Jedenfalls ist der Flügel mehr als kaputt gewesen. War rundum angekokelt. Stand schief. Der Lack überall ab. Hatte keinen Deckel mehr drauf. Und von den Klaviertasten konnt man die paar Elfenbeinblättchen, die noch draufklebten, kinderleicht abheben…

Was ihr bestimmt gemacht habt.

Kannste glauben, Taddel.

Nicht für uns.

Für Vaters Sammlung.

Waren große Wohnungen, fünf Zimmer, wie unsere. Doch weil man die Fenster alle von innen mit Brettern oder Preßspan vernagelt hatte, kam nur durch Ritzen Licht, so daß es überall schummrig, in manchen Ecken duster gewesen ist.

Mariechen hat trotzdem mit ihrer Box alles geknipst, selbst was in den Küchen und Badezimmern noch rumstand: ne gesprungene Kloschüssel, verbeulte Eimer, den Rest von nem Spiegel, paar verbogene Löffel, Scherben von Kacheln und so.

Das meiste war verschmurgelt oder nach dem Brand weggeräumt worden, weil noch brauchbar…

…oder gleich nach dem Krieg zu Kleinholz gemacht, als es nix Brennbares mehr gab.

Soll absolut duster gewesen sein, haste gesagt. Und trotzdem hat die olle Marie mit ihrer simplen Box?

Aber ja doch, Taddel. Sogar ohne Blitzlicht hat sie geknipst. Wie immer, einfach vom Bauch weg und manchmal aus der Hocke raus.

Klar, hätten wir uns denken können, wenn wir beide schon bißchen älter gewesen wären: Ist viel zu dunkel zum Fotografieren.

Sowas schafft die Box nie.

Schade um die Filme.

Doch als wir dann heimlich in Vaters Atelier geschlichen sind, als er unten in der Wohnung wieder mal Besuch hatte, mit dem er Wein und Schnaps getrunken und dabei bestimmt über Politik palavert hat, sahen wir die Fotos schön aufgereiht über seinem Arbeitsplatz an Dachbalken gepinnt, an denen außerdem sein Zettelkram mit den Hundenamen...

Mann, war geil, was da drauf war.

Wollte keiner glauben zuerst: jedes Bild taghell ausgeleuchtet.

Nix verwackelt.

Jedes Möbel genau.

Doch sah man jetzt Wohnungen, die heil und bewohnt aussahen, auch wenn kein einziger Mensch in den Zimmern...

Hör wohl nicht richtig: die Bruchbuden alle intakt?

War so, Taddel: sogar ordentlich aufgeräumt.

Keine ekligen Spinnweben mehr, kein Taubenschiß. Und eine Wohnung äußerst gemütlich sogar.

Der Flügel stand kein bißchen kaputt mitten im Zimmer. Auf dem gabs sogar aufgeschlagene Noten über den Tasten mit allen Elfenbeinplättchen drauf. Und auf dem einen Sofa, das wir vor paar Tagen noch, als Mariechen es knipste, in vergammeltem Zustand gesehen hatten, so daß man das Polsterfutter rausrupfen und die Sprungfedern sehen konnte, lagen jetzt Kissen. Richtig pralle, runde und viereckige. Und in der einen Sofaecke saß, zwischen die prallen Kissen geklemmt, mit schwarzen Haaren und Kulleraugen ne Puppe, die bißchen wie unser Schwesterchen aussah. Wirklich, wie später du, Lara, als du grad zu laufen anfingst.

Und in der einen Küche stand, wie zum Frühstück für vier Personen gedeckt, ein Tisch mit Butter, Wurst, Käse und Eiern in Eierbechern drauf. Seh ich noch vor mir: gestochen scharf die Fotos. Jede Einzelheit. Salzstreuer, Teelöffel und so, auch wenn die alte Marie ganz ohne Blitzlicht...

Auf dem Herd, den sie extra geknipst hatte, dampfte sogar ein Wasserkessel, als hätt jemand, den man nicht sah, vielleicht die Hausfrau, Tee oder Kaffee aufgießen wollen.

Überhaupt sahen die Wohnungen alle bewohnt aus. Manche mit dicken Teppichen, gepolsterten Sesseln, nem Schaukelstuhl und Bildern an den Wänden, auf denen hohe Berge mit Schnee drauf...

Und überall standen Uhren rum. Hätt man sehen können, wie spät es genau war...

...wären wir bißchen älter gewesen.

Aber in einem Zimmer stand auf nem niedrigen Tisch ne Ritterburg mit Turm und Zugbrücke. Dazu jede Menge Zinn- oder Bleisoldaten. Beritten und zu Fuß. Sah aus, als ob sie kämpfen würden. Sogar Verwundete gabs mit nem Kopfverband. Und auf dem Fußboden lag eine Spielzeugeisenbahn zu ner Acht ausgelegt, mit ner Weiche vorm Bahnhof. Auf den Schienen wartete ein Personenzug mit Dampflok davor. Sah aus, als würd sie gleich fahren, während auf der Weiche eine andere Lok mit paar Waggons vor einem Haltesignal...

War ne elektrische von Märklin. Erinner mich noch an den Transformator.

Jedenfalls hätten Kinder – waren bestimmt Jungs, womöglich Zwillinge wie wir – einer mit der Ritterburg, bestimmt ich, der andere, nehm mal an, du, mit der Märklin-Eisenbahn spielen können.

Aber die alte Marie hat nur das Spielzeug, die Möbel, paar Standuhren, ne Nähmaschine...

Jetzt mußte sagen: die war bestimmt von Singer...

Schon möglich, Taddel, Singer-Nähmaschinen gabs damals in jedem Haushalt. Überall auf der Welt. Und dann, wollt ich sagen, hat sie noch den vollen Frühstückstisch, die Puppe zwischen Sofakissen, sogar die Noten auf dem Flügel und wassonstnoch ohne Blitzlicht aus der Vergangenheit geholt. Lauter Sachen, nix Lebendiges.

Doch, Atze! In einer der eigentlich kaputten und ganz dunklen Wohnungen, in die ich mich nie allein getraut hätt, die aber nun auf den Fotos superhell ausgeleuchtet war, weil die weißen Gardinen Sonne reinließen und die Fenster offenstanden, sah man zwischen Zimmerpflanzen ein ziemlich großes Vogelbauer. Und in dem Käfig saßen auf zwei verschieden hohen Stangen zwei Vögel, womöglich Kanarienvögel, was man aber nicht erkennen konnte, weil Mariechen ja alles in Schwarzweiß. Und in der Speisekammer von ner anderen Küche hing ein langer Fliegenfänger, an dem, weil sie von ihm Nahaufnahmen geknipst hatte, halb lebendige Brummer klebten. Was eklig aussah, weil paar Fliegen, die festklebten, bestimmt noch mit allen Beinchen... Und in einer anderen Wohnung, in der dicke Möbel rumstanden, sah man ne Katze mal schlafend auf einem Sessel, dann auf dem Teppich mit rundem Rücken, als ob sie fauchen wollte. Die sonnte sich auf anderen Fotos ganz friedlich zwischen Blumenpötten. Wart mal: war ne Katze mit gemustertem Fell. Mensch, jetzt erinner ich mich: hat auf einem Foto sogar mit nem Wollknäuel gespielt, oder bild ich mir das bloß ein? Weil ich wie Vater...

Fakt bleibt, daß nach Pats Meinung eine Katze oder ein Kater in einer der Wohnungen rumtigerte.

Damals haben wir nicht gewußt, wofür er die Fotos brauchte.

Tickte erst später bei mir: sind ihm wichtig für »Katz und Maus« gewesen, das ja vom Krieg, von einem versenkten polnischen Minensucher, paar Jungs und nem Mädel und einem Orden für Heldentaten handelt...

...und das er zwischendurch schrieb, als er das dicke Hundebuch in der Mache hatte, aber – keine Ahnung warum – damit nicht weiterkam.

Und Fakt bleibt außerdem, daß bei ihm immer schon Tiere ne Rolle gespielt haben, später solche sogar, die sprechen konnten.

Aber zu uns hat er, als ihm Mariechen die Wohnungen abfotografieren mußte, nur gesagt: »Hier haben mal Ärzte und sogar ein Richter gewohnt. Wüßte gern, was aus denen geworden ist.«

Uns jedenfalls wurde, wenn überhaupt, dann nur langsam klar, daß er die Fotos brauchte, um sich, was früher war, genau vorstellen zu können.

Ist nun mal so mit unserem Väterchen: lebt rein vergangenheitsmäßig, immer noch. Kommt davon nicht los. Muß immer noch mal...

Und die alte Marie hat ihm dabei geholfen mit ihrer Wunderbox...

Haben wir nämlich alles geglaubt, wie du auch, Lara, später alles geglaubt hast, was eigentlich nicht existierte, dann aber wie echt gelebt aus der Dunkelkammer kam.

Und jedesmal, wenn Mariechen einen neuen Film in ihre Kodak-Box einlegte...

War ne Agfa! Stand vorn deutlich drauf. Direkt unter der Optik. Wie oft muß ich dir das noch verklickern? Und zwar stammte ihre Agfa aus dem Jahr dreißig. Vorher gabs nur die Tengor von Zeiss-Ikon. Danach erst kamen die Amis, die nach dem Krieg ne lange Pause machen mußten, mit der Brownie-Junior wieder auf den Markt. Aber das Rennen hat dann Zeiss-Ikon mit einer Billigbox gemacht, die Baldur hieß, na, wie der oberste Häuptling von der Nazijugend, bei der auch unser Vater in kurzen Hosen. Kostete nur acht Reichsmark, die Baldur. Von der gingen Hunderttausende weg. Außerdem wurde ein Modell nach Italien exportiert. Hieß Balilla und war ne Extraanfertigung für die faschistischen Jungs. Die alte Marie aber hat nicht mit einer Wunder- oder Zauberbox, wie Lara sagt, sondern nur mit der guten alten Agfa-Box I geknipst. Seh immer noch, wie ihr der Kasten vorm Bauch hängt.

Na gut, Atze, hast gewonnen.

Sag nur, was Sache ist!

Jedenfalls konnte Mariechen mit ihrer Box nicht nur in die Vergangenheit, sondern sogar in die Zukunft gucken. Als wir noch in dem halbkaputten Haus wohnten, hat sie nen ganzen Film Bildchen geliefert, auf denen zu sehen war, was genau an dem Tag politisch los sein würde, an dem du, unsere Lara, an einem Sonntag nämlich, auf die Welt gekommen bist. Seh noch, wie Mutter sich die Fotos, eins nach dem anderen, vor ihren kugelrunden Bauch, an dem wir manchmal horchen durften, gehalten und gelacht hat, als ihr Mariechen die Ergebnisse aus ihrer Box zeigte. Kannste glauben, Lara – Taddel, du auch –, ne riesige Schafsherde sah man. Bestimmt paar hundert Stück, die langsam von rechts nach links zogen, nämlich von Ost nach West. Vorneweg der Schäfer. Der hatte nen gehörnten Schafsbock zur Seite. Dann, Bild nach Bild, die anderen Schafe. Hinterdrein der Hund. Alle in eine Richtung. Und als du dann geboren wurdest, stand in den Sonntagszeitungen, die Jorsch vom Kiosk am Roseneck für Vater holen mußte, wie am Stadtrand ein Schäfer über die Felder bei Lübars aus der sowjetischen Besatzungszone über die Grenze weg fünfhundert volkseigene Schafe in die westliche Zone rübergeführt hat, und zwar ohne daß ein Schuß dabei fiel, genau wie es Mariechens Box vorausgewußt hatte.

Außerdem hat Vater aus der Zeitung vorgelesen, daß man nun nicht wußte, wohin mit den vielen Schafen, die aus dem kommunistischen Lager ins kapitalistische geflohen waren. Alle abschlachten, oder was?

Dazu hat er gelacht und dann noch, während er sich bestimmt ne Zigarette gedreht hat, damit angegeben, daß ein berühmter Dichter, nämlich ein Engländer, genau wie unsere frischgeborene Lara am dreiundzwanzigsten April seinen Geburtstag feiern würde, wenn er nicht schon längst mausetot wär.

Na gut, Atze. Das mit den Schafen stimmt. Die Story vom Dichter: geschenkt. Als aber paar Monate später, kurz vor unserem Geburtstag, quer durch die Stadt die Mauer gebaut wurde, damit keiner mehr rübermachen konnte, hat die alte Marie, trotz ihrer Box, nix vorausgewußt.

Und wir konnten sowieso nicht begreifen, weshalb plötzlich überall Hektik ausbrach und warum unsere Mutter schnell die Koffer gepackt hat, weil wir nämlich mit dir, Lara, wegsollten, ab in die Schweiz, wo unsere Mutter ja herkommt.

Wieso, Taddel? Nehm an, weil sie Angst gehabt hat. Mehr um uns als für sich. Hätt wieder Krieg geben können. Ganz in der Nähe, auf der Clayallee, standen schon die Amis mit ihren Panzern und so.

Vater ist jedenfalls allein in der großen Wohnung geblieben und hat, was wir erst später gewußt haben, paar scharfe Briefe gegen den Mauerbau geschrieben, so wütend war er.

Hat aber nix gebracht, das Briefeschreiben.

Doch wenn er sich – nur mal aus Spaß angenommen – damals, an einem bestimmten Tag, mit Mariechen am Checkpoint Charlie im amerikanischen Sektor hingestellt und geduldig gewartet hätte – na, genau da, wo der Grenzübergang für Ausländer gewesen ist – und dann »Jetzt!« gesagt hätte, »Knips mal, Mariechen!«, wär ihr und ihrer Box bestimmt ein flottes Auto mit nem römischen Kennzeichen vor die Linse gekommen, in dem...

Genau, Atze! Und in dem Auto – angenommen, war ein Zweisitzer, ein Alfa Romeo womöglich – hätt ein Italiener gesessen, der, sagen wir mal, von Beruf Zahnarzt gewesen, aus Rom extra dafür nach Berlin gekommen wäre und Emilio geheißen hätte...

Und neben ihm hätte eine junge Frau gesessen – groß, schlank –, die ne Sonnenbrille trug und unterm Kopftuch ihre gelockten Haare versteckt hielt...

Und dieser Emilio hätt es drauf ankommen lassen, kein bißchen Schiß gehabt, sondern hätt die junge Frau, die nicht nur jung, dazu noch blond war, aus dem Osten mitgenommen, direkt bis zur Kontrollstelle, selbst wenn er gewußt hätte, daß der schwedische Paß, den die junge Frau vorzeigen mußte, ein falscher Paß war...

Und nur mal angenommen – Taddel, ist bloß ne Annahme –, wenn Mariechen, weil unser Vater es so wollte, die beiden, den richtigen Italiener und die falsche Schwedin, genau dann von weit weg geknipst hätte, als sie ihre Pässe zurückbekamen, nun durch die Vopokontrolle durch, nun im Westen angekommen, nun nah dran aus dem flotten Auto gestiegen wären, worauf sich die junge Frau plötzlich die Sonnenbrille, das Kopftuch abnahm,

so daß man jetzt erst ihre langgelockten, dazu noch stroh-
blonden Haare sehen konnte, die auf dem Foto im falschen schwedischen Paß beinah schwarz wirkten: glatt
und viel kürzer, dann hätte Mariechen später, als sie mit
den Abzügen aus der Dunkelkammer kam, zu Vater
sagen können: »Guck dir die genau an. Die ist was
Besonderes. Die wär was für dich, na, im Notfall, wenn
alles schiefgeht.«

Und weiter angenommen – ja, Taddel!, nur angenommen aus Spaß –, unser Vater hätte, als er endlich allein in
der großen Wohnung war, weil Mutter uns alle in Sicherheit gebracht hatte, auf den acht sechsmalneungroßen
Fotos seine zweite Frau wie ne Vision vorausgeahnt, weil
die alte Marie gleich nach dem Mauerbau an ner bestimmten Stelle und an nem bestimmten Tag, weil er das
unbedingt wollte, geknipst und geknipst hätte, dann wäre
womöglich nie…

Hört auf damit!

Ihr spinnt alle beide.

Was soll das Gesülze mit wenn und hätte und wäre…

Schon gut, Taddel.

War bloß ne Annahme.

Kleines Späßchen.

Aber die Story mit der Flucht und dem Italiener, der
Zahnarzt gewesen ist, stimmt.

Sogar der Zweisitzer ist echt.

Wissen wir von Jasper und Paulchen, weil ihre Mutter
ihnen erzählt hat, wie sie mit einem falschen Paß, ner Zeitung aus Schweden und bißchen schwedischem Kleingeld,
dazu mit einem Italiener als Fluchthelfer kurz nachem
Mauerbau rübergemacht hat aussem Osten. Sogar ihre
beiden Schwestern hat dann dieser Emilio…

Jedenfalls kam unsere Mutter wieder mit uns dreien aus der Schweiz zurück und packte die Koffer aus.

Ist doch logo, Lara, daß Vater die Fotos mit seiner zweiten Frau drauf, wenn es die Abzüge aus der Box wirklich gegeben hätte, keinem zeigen konnte.

Aber Mariechen hat von ihm sowieso viel mehr gewußt als er selber von sich.

Vielleicht, weil sie jedesmal dann seine Zigarettenkippen geknipst hat, wenn er keinen Schimmer hatte, wie es rein familienmäßig weitergehen sollte mit uns…

Weil er aber von früh bis inne Nacht rein seine Selbstgedrehten paffte, hat ihm Mariechen später, bin sicher, als alles schieflief, mit Hilfe ihrer Box gezeigt, wie er sich rausmogeln konnte aus dem Schlamassel. Könnt ich auch brauchen, son heißen Tip ab und zu.

Aber nachdem Mutter mit uns aus der Schweiz zurück war, fuhr Vater – weiß ich noch ungefähr – oft zum Rathaus Schöneberg, weil Wahlkampf war und er dem Bürgermeister von Westberlin helfen wollte, der gleich nachem Mauerbau gegen den alten Adenauer…

Auf Plakaten konnt man die beiden überall in der Stadt sehn.

Sah wien Indianerhäuptling aus, der Alte.

Doch Vater zeigte, wenn wir spazierengingen, immer nur aufs andere Plakat und sagte: »Für den da bin ich. Merkt euch den Namen.«

War nämlich Willy drauf. Den hatte Adenauer stark beleidigt, weil er von Geburt her unehelich und außerdem Emigrant gewesen ist. Darum fuhr Vater immer ins Rathaus und hat an Reden für Brandt, der damals nur Bürgermeister war, rumgeschrieben, die für den Wahlkampf taugen sollten.

Erst als alles vorbei war und der alte Adenauer die Wahl gewonnen hatte, kam Vater wieder dazu, oben bei sich unterm Dach weiter an seinen »Hundejahren«…

Dabei ist er, was man auf anderen Fotos sehen kann, die aber nicht die alte Marie, sondern noch ihr Hans kurz vor seinem Tod, nehm mal an, mit der Hasselblad oder der Leica gemacht hat, immer dicker geworden, weil er sich noch in Paris was an der Lunge geholt hatte.

Hieß Tuberkulose die Krankheit.

Mußte Tabletten schlucken…

…und jeden Tag Sahne trinken, was ihn richtig fett werden ließ.

Wurde aber trotzdem fertig, sein Hundebuch, das nur von der Vergangenheit handelte, die für ihn bis in kleinste Einzelheiten deutlich wurde…

…weil ihm Mariechen mit ihrer Box dabei half.

Und weil die Wohnung in der Karlsbader für uns zu eng wurde, konnte er nun das alte Klinkerhaus in Friedenau kaufen.

Hat es sogar äußerst billig gekriegt, weil gleich nachem Mauerbau die Grundstückspreise im Keller… »Ist ein Schnäppchen gewesen«, hat er später gesagt.

Aber das weiß ich noch, wie die alte Marie, bevor wir in das Klinkerhaus einzogen, den alten Kasten, in dem nun die Handwerker alles neu machten, von innen und außen geknipst hat, weil Vater wieder mal wissen wollte, wer im Krieg und vorm Krieg und noch früher dort gelebt und wer oben unterm Dach sonstwas gemacht hat, wo jetzt er in seinem Atelier mit dem großen Fenster dicke Nonnen und Vogelscheuchen pinselte.

Erzähln wir euch ein anderes Mal, was das Klinkerhaus alles erlebt hat.

Aber auf den Schnappschüssen, die die alte Marie mit ihrer Agfa-Box von der Halbruine knipste, haben Pat und ich sehen können, was unser kleiner Bruder mal wieder nicht glauben will, na, daß die Söhne von nem Doktor, der, wie Vater gesagt hat, womöglich Chefarzt in der Charité gewesen ist, schon mit ner elektrischen Eisenbahn gespielt haben.

Doch gabs unten links im Kellergeschoß noch keine Tischlerei, aus der ich mir Hobelspäne holen konnte.

Und unten rechts wurde keine Wäscherei mit einer Heißmangel und ner Hexe drin betrieben, die ich mit toten Tauben, direkt vor ihre Tür gelegt, so lang geärgert hab, bis sie Pat und mir drohte, uns beide ganz langsam, na, wie Max und Moritz, durch die Mangel zu drehen.

Kann mich genau erinnern, Atze, so klein wir waren.

Hört endlich auf mit eurem Gesülze!

Machen wir, machen wir!

Und nächstes Mal – versprochen! – ist Lara dran…

Und dann kannst du, Taddel…

Merkwürdig, sagt sich der Vater, daß Pat und Jorsch zwar die mechanischen Vogelscheuchen und Listen voller Hundenamen aus der Müllschütte ihrer Erinnerung kramen, aber kein Wort für die Schneemänner finden, die Mariechen auf meinen Wunsch knipste, gleich nachdem es nachts und den Tag über geschneit hatte, woraufhin ich Tulla, das Kind meiner Laune, nicht hinderte, hinter der Halbruine zwischen den hochstämmigen Kiefern – wie es später geschrieben stand – den ersten Schneemann und zwar auf der Waldseite des Erbsberges zu rollen, bis plötzlich Tauwetter einsetzte, weshalb die vormals so pumme-

lige Jenny nicht mehr in gerollter Hülle als Einschluß aus-
harren mußte, sondern den abtauenden Matsch verlassen
durfte: auferstanden als feingliedrige Tänzerin; wie auch
der zweite Schneemann, den auf Befehl neun vermummte
Männer auf der anderen Seite des Erbsberges gerollt hatten, und den Mariechen gleichfalls auf meine Bitte knipste, dank des Tauwetters den fetten Eddy Amsel erstaun-
lich abgemagert freigab, worauf beide in nunmehr neuer
Gestalt die Hundejahre überlebten...

Nunja, wie hätten die Kinder wissen können, wie dies
und das zu Papier gekommen ist, wenn selbst der Vater
nur zwischen Lücken stochert und allenfalls ahnt, wie dieses und jenes zum Bild wurde. Damals, als ihm auf Lock-
ruf die Wörter folgsam... Als Überfluß ungedämmt...
Der Brunnen nicht auszuschöpfen... Als immer Gedränge
im Hintergrund und vornweg Figuren lebensgroß...

Mariechen knipste mehr, als zu bewältigen war und den
Kindern in den Mund zu legen wäre.

Wundermäßig

Wieder sind es nur vier von acht Kindern, die an einem Wochenende Anlauf nehmen, um in Zeitsprüngen ihren jungen Jahren nahezukommen. Diesmal treffen sie sich bei Jorsch, der mit immer tätiger Frau und drei Töchtern in jenem Haus aus Klinkersteinen wohnt, in dem er mit Pat, der Schwester Lara und dem kleinen Taddel von Geburtstag zu Geburtstag um Zentimeter wuchs, die der Vater jeweils mit Bleistiftstrichen und Datum in der hölzernen Küchentürfassung markierte; im Verlauf der Jahre gelang es allen, ihre Eltern zu überragen. Mit ihnen wuchsen Bäume, die Pat und Jorsch, kaum schulpflichtig, hinters Haus gepflanzt hatten.

Zwar ist den von anderen Müttern geborenen Töchtern und Söhnen das Treffen angekündigt worden, doch hat Jorsch deren Anwesenheit als »nicht unbedingt zwingend« in Frage gestellt, so daß Lena, die endlich mitreden wollte, und Nana, die, wie sie sagte, »aus Prinzip gerne zugehört hätte«, mit lautem bis leisem Bedauern abgesagt haben. Jasper und Paulchen fanden es »ganz in Ordnung«, noch auf der Warteliste zu stehen, zumal Jasper, »unverschiebbarer Termine wegen«, ohnehin nicht gekonnt hätte.

Zu Beginn der Sommerferien sind Jorschs Töchter mit der Mutter verreist. Von einer südlich gelegenen Palmeninsel liegen Postkartengrüße vor. Die Geschwister sitzen in der Küche mit Blick auf den schattigen Hinterhofgarten und die dahinter aufragende Brandmauer, an deren verschorften Ziegeln Efeu klettert. Pat hat sich verspätet, weil er »unbedingt Freunde von früher« besuchen mußte. Taddel will wissen, was das für ein Typ sei, der neuerdings »oben in Vattis ehemaligem Atelier« zur Untermiete wohne. Jorsch, der seit kurzem – und nach Familienbeschluß – das Klinkerhaus besitzt, erklärt seinen Geschwistern, wie oft und wo genau »in dem alten Kasten« dringliche und kostenaufwendige Reparaturen fällig seien. Lara hört ihren Brüdern zu. Dann holt sie die vorbestellte, nun aufgewärmte Pizza aus dem Herd. Kühl gehaltener Cidre steht bereit. Vorerst scheint keiner Lust zu haben, sich Vaters Geschichten zu fügen. »Für unseren Vatti zählt nur, was sich erzählen läßt«, klagt Taddel.

Es ist Jorsch, der als erster die Box erwähnt, indem er anzweifelt, daß es sich damals, als es noch Wunder gab, um die Kastenkamera 54 gehandelt hat, die als Box I bekannt ist: »War wahrscheinlich das Nachfolgemodell von Agfa, die Spezialbox 64 mit lichtstärkerer Optik und Brillantsuchern, mit der die alte Marie…«

Pat sagt: »Ist doch egal, womit sie geknipst hat. Dran geglaubt haben wir sowieso.«

Bevor Taddel widersprechen kann, rückt der Vater, wie mit Geisterhand, das Tischmikrofon für Lara zurecht.

Wir alle wurden getauft. Ihr Jungs und ich noch in der Karlsbader Straße. Taddel schon in Friedenau. Als ich dran war, sollst du, Pat, Quatsch gemacht haben, als dir die Rumsteherei in der Kirche, na, weil sich das hinzog, langweilig wurde. War so! Unser Väterchen wollte die Tauferei, auch wenn er an nichts geglaubt, doch viele Jahre lang Kirchensteuer gezahlt hat. Und unsere Mama, die ja, wie üblich in der Schweiz, nach Zwingli erzogen wurde, hatte sich von allem, was mit Kirche zusammenhing, eigentlich losgesagt. Trotzdem ist sie der Meinung gewesen: »Wenn es unbedingt sein muß, dann bittschön mit all dem Hokuspokus, also katholisch.« Und als Taddel getauft werden sollte, soll von unserem Väterchen zu hören gewesen sein: »Was die Kinder später mal machen, wenn sie glauben, erwachsen zu sein, müssen sie selbst entscheiden: austreten kann man aus jedem Verein.«

Außerdem soll er gesagt haben: »Kann nicht schaden, wenn sie schon früh mitkriegen, wie angeblich alles mit der Geschichte vom Apfel und der Schlange begonnen hat.«

Womit bestimmt gemeint war, was davon, rein erbsündemäßig, die Folge ist.

Aber nicht nur von Adam und Eva, auch was zwischen Kain und Abel lief, hat er erzählt.

Wer alles in Noahs Arche reindurfte, wer nicht…

Und was später passiert ist, all die Wundergeschichten, wie Jesus zu Fuß in Sandalen übers Wasser laufen konnte, und wie er aus einem einzigen Brot Tausende machte, und wie er zu einem Krüppel sagte: »Nimm dein Bett und wandle.«

Mit der Geschichte von Esaus Erstgeburt und dem Linsengericht ist er uns, nehm mal an, weil wir Zwillinge sind, die sich dauernd gekabbelt haben, bestimmt hundertmal gekommen, jedenfalls immer dann, wenn er sein Lieblingsgericht, nämlich Linseneintopf kochte.

Hat jedenfalls nix geschadet, daß wir getauft wurden – oder?

Aber ob es genutzt hat?

Nur mit unseren Halbschwestern lief alles anders. Lena und Nana sind beide nicht getauft worden und deshalb bei ihren Müttern eher heidenmäßig aufgewachsen. Darum hat sich dann Lena, als sie schon zwölf oder dreizehn war, und – nehm mal an – weil ihr irgendwas fehlte, unbedingt taufen lassen, und zwar katholisch, weil das mehr hermachte. Sollte vor viel Publikum gleichzeitig mit ihrer ersten Kommunion ablaufen. War das ein Theater mit ihrem Kleid! Mal sollte es schlicht wie ein Nachthemd sein, dann wollte sie was Rüschiges tragen und bei ihrem ersten Auftritt wie eine kleine Braut aussehen.

Jedenfalls waren wir beide mit Taddel und Vater dabei, als das über die Bühne ging. Richtig wie auf Kommando, mit Aufstehn, Sitzen, Singen, nochmal Aufstehn...

Hab ich von Mieke und Rieke, Lenas anderen Halbschwestern gehört, daß ihr Jungs mit unserem Väterchen brav in einer Bank gesessen und laut mitgesungen habt.

Nee, nur unser Vatti hat viel zu laut und absolut falsch...

War äußerst peinlich.

Gut, daß die alte Marie nicht dabeigewesen ist. Die hätte bestimmt mit der Spezialoptik von ihrer Agfa den Teufel höchstpersönlich eingefangen und dann in ihre Dunkelkammer gesperrt, damit er...

Klar, Vater hätte »Knips mal, Mariechen« gesagt. »Wolln doch mal sehen, wie Herr Satan, verkleidet als Meßdiener, unserer lieben Lena, kurz bevor sie getauft wird, aber schon ein frommes Gesicht macht, nen dreckigen Witz zuflüstert, direkt ins linke Ohr rein.«

Und Lena, die gern gewagte Witze...

Schade, daß ich nicht – warum eigentlich? – dabeisein konnte. Später, viel später, als ich längst Mutter war, Lena noch auf die Schauspielschule ging und Nana, die inzwischen fünfzehn zählte und unglücklich verliebt zu sein schien – worüber sie aber mit niemandem reden wollte –, sind wir drei Mädels mit unserem Väterchen nach Italien gefahren und haben in Umbrien Kirchen besucht, auch Museen natürlich. Und da hab ich gesehen, daß Lena immer noch glaubt. Sah jedenfalls so aus, wenn sie sich überall, ob in Assisi oder Orvieto, mit Weihwasser bekreuzigt hat. Hätt ich auch beinah versucht, aber nur beinah. Und von Nana weiß ich, daß sie von Dresden aus, als sie dort auf die Hebammenschule ging, aber noch immer in ihren Egotyp verknallt war, mit dir, Pat, als du sie mal kurz besucht hast, in Meißen gewesen ist. Nehm an wegen Stadtbesichtigung. Und dort, im Dom, habt ihr beide brennende Kerzen vor einem Altar... War doch so, oder?

Haben wir gemacht, weil unser Vater, als er mit siebzehn Soldat und kurz vor Kriegsschluß noch verwundet wurde, in Meißens Burg, die damals ne Art Notlazarett gewesen ist, einen neuen Verband... Bestimmt nur deshalb haben wir...

Hätt ich, wär ich dabei gewesen, vielleicht genauso für unseren Vatti gemacht, selbst wenn ich, wie Jasper und Paulchen, an absolut nix glaub. Denn die beiden sind, genau wie später ich, ganz normal aufgewachsen.

Müssen aber trotzdem einiges an Religion mitgekriegt haben, weil ihre Mutter jahrelang im Wedding rein berufsmäßig auf einer evangelischen Orgel gespielt hat, Sonntag für Sonntag, und nicht nur Orgelstücke von Bach auswendig wußte, sondern auch alle Kirchenlieder, selbst, wenn sie nicht fromm war...

Und unser Mariechen? An was hat die eigentlich geglaubt?

Klardoch, an ihre Box.

Die ist ihr Wunder genug gewesen.

War ihr heilig sogar.

Stimmt! Hat sie zu mir mal gesagt: »Meine Box ist wie der liebe Gott: sieht alles, was ist, was war und was sein wird. Die kann keiner beschummeln. Hat einfach den Durchblick.«

Und daß ihr Hans im Himmel ist, war für sie klare Sache.

Aber katholisch, wie anfangs wir, war Mariechen bestimmt nicht.

Ging trotzdem zaubermäßig bei ihr zu, wenn auch ganz anders als mit Hostie, Kelch, Weihrauch und so.

Vater hat mal gesagt: »Unser Mariechen kommt aus Masuren und hält es mit den alten Pruzzengöttern. Perkun und Potrimp und Pikoll heißen die.«

Manchmal hat sie unverständliches Zeug gemurmelt, wenn sie einen neuen Film einlegte. Kam zwar immer sechsmalneun vor, das Bildformat, klang aber wie ne Zauberformel.

Sag ich ja. Gott, wie lang ist das her. Kann mich trotzdem genau an mein Kommunionskleid erinnern, weil mich die alte Marie mit ihrer Zauberbox von allen Seiten... Und auf den Fotos, die sie kurz vor der Kommunion geknipst haben muß, denn da trag ich noch einen Kranz, ist mein Kleidchen schon mit Schokoladensoße bekleckert, an die ich aber bestimmt erst nach der Kommunion rankam, als alle am Tisch saßen und durcheinandergeredet haben, weil ich ja, was Vorschrift war, nur nüchtern den Leib des Herrn und so weiter. Aber als Kind bin ich ganz verrückt nach Süßem gewesen, gleich ob Pudding oder Schmaddertorte. »Guck mal, Larakind«, sagte dann auch die alte Marie, »meine Box weiß immer schon vorher, womit du dich hinterher bekleckern wirst.« Keine Ahnung, was aus dem Schnappschuß mit den Schokoladenflecken geworden ist. Nur die Fotos, die sie mit ihrer Leica gemacht hat und die ganz normal sind, kleben in meinem Album. Aber alle anderen Schnappschüsse, die sie nun wieder mit der Zauberbox geknipst hat, als du nämlich, unser allerliebster Taddel, getauft wurdest, sind weg. Lief in der Friedenauer Kirche ab…

In der gabs zwei nette Kapläne, zu denen wir immer gern gegangen sind, weil beide…

Wurden später strafversetzt.

Waren angeblich zu links.

Jedenfalls standen auf den Fotos gleich nach der Taufe viele Leute um Taddel rum. Und deine Patentante, eine Kraushaarige, die mit Vater und Mutter befreundet war, hielt dich, als ob du ihr gehören würdest. Dabei machte unser kleiner Taddel ein Gesicht, das er heut noch manchmal macht: als hätt ihn grad jemand beleidigt. Sah aber sonst ganz normal aus, ein typisches Tauffoto, nur schwebte über dir und deiner Patentante eine Art Geist, sozusagen als Schutzengel, wie die alte Marie mir ins Ohr geflüstert hat, als sie heimlich mir, nur mir den Schnappschuß zeigte. Naja, sah bißchen so aus, wie heutzutage im Werbefernsehen der Schutzengel von irgendeiner Unfallversicherung aussieht, über den meine kleine Emma jedesmal lacht, wenn er über die Mattscheibe geistert und immerzu Schlimmes verhüten muß. Nur, daß der Geist, der rein schutzengelmäßig über unserem Taddel schwebte, Klamotten wie ein echter Fußballspieler anhatte, sogar solche Schuhe trug, was lächerlich wirkte zu den gespreizten Flügeln. Und unser Taddel – nun guck nicht gleich wieder beleidigt! –, der ja von früh an nach Fußball verrückt gewesen ist, spielte zuerst in einem Friedenauer Club. Dann, als er mit Jasper und Paulchen auf dem Dorf lebte, kickte er in der Dorfmannschaft. Und noch viel später, als du schon Pädagogik studiert hast, weil du Armer ja schulmäßig so viel hast leiden müssen, warst du als Mitspieler mal hier mal da dabei, wie du ja heut noch mit deiner genauso fußballverrückten Tochter – stimmt doch, Taddel! – ein wundergläubiger St.-Pauli-Fan bist. Trotz all dem Gekicke ist es bei dir, soviel ich weiß, nie zu einer ernsten Verletzung gekommen, bestimmt, weil dich der Schutzengel aus der Zauberbox davor bewahrt hat, jeden Zweikampf auf Teufelkommraus...

Konnt aber trotzdem nie richtig dran glauben, selbst als mir die olle Marie paar Abzüge gezeigt hat.

Ob geglaubt oder nicht, hat jedenfalls geholfen, daß wir vier Niedstraßenkinder alle getauft wurden, selbst wenn wir heute an nichts mehr...

...oder nur ein klein bißchen.

Wie Vater, als er mit Pat und mir, weißnichtmehrwo, über Religion geredet hat: »Also fromm bin ich genau besehen nur, wenn ich mit Papier und Bleistiften zwischen Bäumen sitze und staune, was der Natur alles so einfällt.«

War bei ihm immer so, gleich, ob er nachem Einkaufen auf dem Friedenauer Wochenmarkt abgehackte Dorschköpfe gezeichnet hat oder Pilze, die wir von einem Sonntagsausflug im Grunewald nach Hause brachten, damals, als wir noch ne richtige Familie waren.

War sogar lustig die Zeit, als Taddel mal grad getauft war, und Vater und Mutter uns bald danach echte Indianerklamotten aus Amerika mitbrachten, wohin sie, weil Mutter nicht fliegen wollte, mit einem Schiff gefahren sind, das bei Windstärke zwölf beinah abgesoffen wär...

Aus Wildleder und mit Fransen dran waren die...

Stand sogar in der Zeitung, die Story von dem italienischen Passagierschiff...

Und du, Lara, hast das Indianerzeug am längsten getragen...

Gab sogar Tote, weil eine Riesenwelle...

Sahst aus wie ne Tochter von Winnetou, wenn der ne Tochter gehabt hätte...

...ein Riesenloch knapp unter der Kommandobrücke...

War ein Luxusschiff, hieß »Michelangelo«, glaub ich...

Stellt euch vor, Mariechen hätt mit ihrer Box noch vor dem Unglück das Schiff geknipst, als es im Hafen lag, den Schornstein, die Brücke...

Jedenfalls lief bei uns alles noch ganz normal.

Jedes Jahr kam ein neues Kindermädchen, so daß Mutter für sich Zeit genug hatte.

Erst kam Heidi, dann Margarete, dann...

Und unser Väterchen saß, wenn er nicht verreist war, ganz zufrieden bei sich unterm Dach und schrieb Sachen, für die er die alte Marie ausnahmsweise nicht brauchte, weil in dem, was er schrieb, nur geredet wurde...

Wetten, daß sie ihn beim Schreiben trotzdem geknipst hat?

Ist das Theaterstück gewesen, bei dem Arbeiter von der Stalinallee und zerlumpte alte Römer gleichzeitig nen Aufstand probieren wollen...

War ihm beim Schreiben bestimmt egal, daß ihn Mariechen dabei geknipst hat.

Haben aber paar Leute heftig gebuht, als die »Plebejer« aufgeführt wurden.

Als dann die Fotos aus der Dunkelkammer kamen, sah es aus, als würd das Theater lichterloh brennen...

Hat ihn aber nicht groß gekümmert, was die Zeitungsfritzen darüber schrieben…

Saß bald danach wieder oben bei sich…

…wie dieser Uwe, unser Nachbar aus Nummer vierzehn. Der hockte genauso unterm Dach und schrieb…

Ne bebrillte Bohnenstange war der.

Hat ihn mächtig gestört, daß mein Atze und ich so stark berlinert haben.

Saß oft mit Vater auf der Terrasse vorm Haus und trank immer noch ein Bier.

Geredet und geredet haben die beiden.

Den konnte Vater zum Lachen bringen, wir kein bißchen.

War sowieso viel los in unserem Klinkerhaus, immerzu Gäste, paar verrückte darunter.

Einmal, als Vater im Wahlkampf war und du, Taddel, grad mal geboren warst, brannte die Haustür nachts.

Sollen rechte Spinner gewesen sein, die mit Lappen und ner Benzinflasche…

Ging ganz schön hektisch zu hinterher.

Hatten zum Aufpassen nachts Bullen im Haus, die auf ne ruhige Art ganz nett waren.

Und dann gings ab in die Ferien nach Frankreich. Wir alle mit nem neuen Kindermädchen. Margarete war, glaub ich, ne Pfarrerstochter und wurde immer rot, wenn jemand sie direkt angequatscht hat.

Und prompt kam auf Vaters Wunsch die alte Marie mit.

Ist vielleicht seine Geliebte gewesen.

Bestimmt nicht! Hätte Mutter gemerkt.

Hatte absolut keinen Schimmer, was nebenbei lief…

Jedenfalls gab es in der Bretagne und besonders an dem langen Sandstrand, wo wir Ferien machten, ne Menge

Bunker, die vom Krieg übrig waren. Enorm dicke darunter, in die man, wenn man nicht Schiß hatte wie ich, reinkriechen konnte.

Stank aber drinnen nach Pisse und Kacke.

Und von dem einen Bunker, der ein rundgebuckelter Betonklotz mit Schießscharten war und schief in den Dünen hing, sind wir beide immer um die Wette gesprungen. Jorsch, leichter als ich, sprang am weitesten.

Weshalb mich Vater »Federchen« genannt hat. Und genau dabei, weiß ich noch, hat uns die alte Marie mit ihrer Agfa-Spezial, die sie in die Ferien mitgenommen hatte, noch und nöcher geknipst. Na, wie wir zwei vom Bunkerdach möglichst weit weg in die Dünen...

In ner Sandkuhle lag sie und hat uns von unten...

Waren Momentaufnahmen, die ne normale Box, selbst die Spezial von Agfa mit drei Blendwerten, niemals geschafft hätte, aber mit der Box von der alten Marie...

...die nun mal ne Wunderbox gewesen ist und nicht richtig getickt und verrückt gespielt hat, deshalb konnte sie uns mitten im Sprung...

Aber die Fotos hat Vater dann später, als die alte Marie den Rollfilm in ihrer Dunkelkammer entwickelt hatte, sofort zerrissen, weil nämlich die Box – hat er Mutter erzählt – uns beide zu ganz jungen Soldaten gemacht hatte, mit viel zu großen Stahlhelmen auffem Kopp und umgehängten Gasmaskenbüchsen.

Und auf den zerrissenen Fotos soll zu sehen gewesen sein, wie wir – erst du, Atze, dann ich – beinah gleichzeitig vom Bunkerdach richtig hoch abheben, dann möglichst weit wegspringen, weil nämlich am Strand überall die Invasion begonnen hat – was man im Hintergrund sieht, Granateneinschläge und so –, und weil der Bunker womöglich einen Volltreffer hätte abbekommen können, oder weil wir beide einfach die Hosen voll haben, deshalb weg, abhauen wollen, uns dünnemachen, schnell mit nem Sprung vom Bunker runter, so weit wie möglich, dann ab und davon durch die Dünen nach hinten, wo...

Ist doch verständlich, daß unser Väterchen sowas nicht sehen wollte: ihr als Siebzehnjährige, soldatenmäßig in Stiefeln, mit Stahlhelmen auf dem Kopf und womöglich noch mit Maschinenpistolen... So mußte er selbst mal aussehen, als Krieg war. Hat davon noch lange geträumt, sogar gestöhnt im Schlaf...

»Das geht entschieden zu weit, Marie!« soll er ziemlich wütend geschrien haben, bevor er die Fotos alle zerriß.

Aber Mariechen hat ne Antwort gewußt: »Wer weiß, was noch kommt. In sowas wächst man schnell rein.«

Sonst aber waren die Ferien am Strand, wo früher mal der Atlantikwall gewesen ist, ganz lustig, mit Schwimmen und Tauchen. Vater hat viel Fisch, dazu lauter lebendige Schalentiere gekocht und ist mit dir, Lara, bei Ebbe am Strand langgelaufen.

Kannst dich erinnern?

Auf Muschelsuche...

Und Mutter hat ganz für sich Tanzschritte ausprobiert. Ohne Musik. Einfach so.

Auf dich, Taddel, hat Margarete aufgepaßt, weil du noch winzig warst. Weiß nur, daß du von Anfang an mit nem Ball...

Absoluter Schwachsinn, was ihr da quasselt. Na, das mit dem Bunker und den zerrissenen Fotos. Alles gesponnen und wie von unserem Vatti... Nur mit dem Kicken, und daß ich schon immer ballverrückt war, schon als ich noch nicht laufen konnte, da kann was dran sein.

Später haste dann Fotos von Beckenbauer, Netzer, vonwemnochalles gesammelt...

War so. Aber mein Vorbild ist nicht der kleine Müller mit seinen O-Beinen gewesen, auch wenn der die meisten Tore geschossen hat, sondern Wolfgang Overath. Die Story mit dem Schutzengel aber, die hast du dir ausgedacht, Lara, oder sonst wer. Hätt mir die olle Marie bestimmt gezeigt, das Foto, als ich schon weg war von hier, dann in der Dorfmannschaft gekickt habe und sogar meinen Vatti überreden konnte, in unserem Club bei den alten Herren mitzumachen, als bei einem Freundschaftsspiel gegen die Werftmannschaft jemand als Stürmer fehlte. Hab ihm alles besorgt, die Töppen, passende Kluft. Sah absolut klasse aus, als die Elf auf dem Platz stand. Klappte zwar anfangs nicht mit der Ballannahme, gab dann aber als Linksaußen paar ganz gute Flanken vors gegnerische Tor. Weil er bis in die zweite Halbzeit ausgehalten hat, bekam er sogar Beifall. Mußte dann doch ausgewechselt werden. Stand später mit fetter Überschrift in der Wilsterschen Zeitung: »Neuer Linksaußen!« War natürlich politisch gemeint, weil unser Vatti damals als Roter verschrien war. Und im Dorf haben paar Sturköppe gegen ihn übel gehetzt. Aber ein Tor hat er nicht geschossen, selbst wenn es auf dem Foto, das die olle Marie gemacht hat, so aussah. Zwar stand sie, als unsre alten Herren viernull zurücklagen, mit ihrer Box hinterm Tor der Werftmannschaft, und nach dem Foto hätt man absolut glauben können, daß er das Ehrentor und zwar durch Kopfball ins obere linke Eck geschoben hat, aber das muß sie in ihrer Dunkelkammer irgendwie hingefummelt haben. Jedenfalls stand es vier zu eins, als er ausgewechselt wurde. Fing an zu humpeln, konnte nicht mehr. War aber immer noch stolz, als er mir drei Tage nach dem Spiel das Foto mit seinem Kopfballtor zeigte. Da sah sein linkes Knie, weil er ja untrainiert aufgelaufen ist, immer noch mächtig geschwollen aus. Lag mit einem Eisbeutel drauf auf dem Sofa und jammerte: »Wär ich doch bloß nicht…« Tat mir dann doch bißchen leid, daß ich ihn überredet hab. »Klar«, hab ich gesagt, »war spitze, dein Kopfballtor!«, auch wenn sich der Schiri aus Beidenfleth und alle im Dorf sicher waren, daß der dicke Reimers von der Sparkasse das Tor geschossen hatte. Möcht aber trotzdem wissen, wie die olle Marie das hingekriegt hat mit ihrer komischen Box. Nicht nur mit dem Kopfballtor, auch mit meinem Schutzengel. Wär ja schön, wenn ich in echt einen hätte… Könnt ihn brauchen, auch sonst absolut… Aber die Fotoshow mit Vattis Kopfball ist mir immer noch schleierhaft, denn alle im Dorf sagten…

Er jedenfalls glaubt heute noch…

Ihr ja auch, wenn man euch hört: »Wunschbox! Zauberbox! Wunderbox!« Was noch alles? Bleib dabei: hab meine Zweifel. Hatte ich immer schon. Dachte mir: schon wieder so eine Schummelpackung. Sagte aber kein Wort zu ihr, denn absolut sicher bin ich mir nie gewesen. Als nämlich das olle Mariechen Fotos von mir gemacht hat, auf dem ich in meinem Zimmer allein vor meinem großen Overath-Poster stehe und extra fürs Knipsen den Fanschal vom 1. FC Köln um den Hals habe, sah es, als sie mir die Fotos frisch aus der Dunkelkammer zeigte, so aus, als wär Wolfgang Overath aus dem Poster gestiegen, hätte sich als Person direkt neben mich gestellt und würd mir persönlich den Schal um den Hals legen, mit Handschlag gleich danach. Schade, daß es die Fotos nicht mehr gibt. Waren absolut spitze. Müssen verschüttgegangen sein, als ich –

na, ihr wißt schon, warum – von Berlin wegmachte und zu Vatti und seiner neuen Frau ins Dorf zog. Da war nun ich der Älteste und muß meine neuen Brüder, Jasper und Paulchen, ganz schön genervt haben.

Bestimmt nur, weil bei uns in der Niedstraße familienmäßig so viel danebenging und weil...

Hast nur noch rumgehangen, kamst dir überflüssig vor.

Weshalb sich unser kleiner Taddel unbedingt eine neue Familie...

War so! Absolut! Doch vorher – sagt ihr ja alle – lief alles normal, sah aber nur so aus. Ihr, meine großen Brüder, die ich eigentlich bewundern wollte, habt euch dauernd gestritten, und keiner wußte, warum. Und du, Lara, hast immer gequengelt und warst nur lustig mit deinem Köter, der grottenhäßlich aussah, auf den ich aber vielleicht bißchen eifersüchtig gewesen bin. Wollt anfangs nicht glauben, daß Joggi kreuz und quer U-Bahn fahren, sogar umsteigen konnte. Unsere Mutti war oft mit sich beschäftigt, und mein Vatti saß oben unterm Dach und dachte sich seine verrückten Geschichten aus oder hatte auf Reisen im Ausland zu tun oder machte Wahlkampf, so daß ich anfangs, als ich noch klein war und noch nicht zur Schule mußte, immer an riesige Walfische gedacht und deshalb geglaubt hab: er ist schon wieder weit weg auf Walfischjagd...

Haste sogar auf dem Spielplatz Ecke Handjery zu deinen Freunden gesagt: »Mein Vatti kämpft mit nem Wal, und zwar mit ner richtigen Harpune zum Werfen...«

Von meinen Freunden hat jedenfalls keiner, aber zu Hause haben alle, ihr sowieso, gelacht, sogar unsere Mutti, die – weißnochgenau – damals ihren Führerschein gemacht hat, weil unser Vatti absolut nicht...

Will und kann er immer noch nicht.

War ein Peugeot, unser erstes Auto.

Ist damals viel los gewesen in der Stadt, als Vater oft weg und im Wahlkampf war.

Konnt man im Fernsehen sehen: immerzu Proteste mit Bullenaufmarsch und Wasserwerfern.

War mal grad drei oder schon vier. Soll immerzu Fragen gestellt haben. Aber richtig Antwort hat mir keiner gegeben. Ihr, meine großen Brüder, schon gar nicht. Hattet absolut anderes im Kopp. Pat bestimmt Mädchen, Jorsch seinen technischen Kram. Und mein Vatti war, was ich fest glaubte und mir nicht ausreden ließ, auf Walfischjagd. Und obendrein hat mir die olle Marie Fotos gezeigt, bestimmt ein Dutzend oder mehr, wobei sie sagte: »Hab ich extra für dich gemacht, mein Taddelchen, damit du weißt, wo sich dein Vatti grad rumtreibt.« Sind bißchen verwackelt gewesen, weil, wie sie mir erklärt hat, im Nordatlantik momentan hoher Wellengang herrschte. Aber war trotzdem auf dem Kutter genau zu erkennen, täuschend ähnlich mit seinem Schnauzer, auch wenn er eine komische Wollmütze aufhatte. Sah klasse aus. Mit einer echten Harpune stand er am Bug von dem Kutter, zielte – und zwar linkshändig – auf etwas, was man nicht sah. Doch auf den anderen Fotos konnt man sehen, daß er geworfen, getroffen hatte, sogar mit links. Ganz straff die Leine, weil der Wal zog und deshalb der Kutter mächtig Fahrt machte. Und so weiter, bis man auf dem letzten Foto den Buckel von dem Wal erkennen konnte, in dem die Harpune steckte. Glaubte sogar und hätte wetten können, daß ich gesehen hab, wie mein Vatti auf den Buckel geklettert ist, um den Wal, der bestimmt noch nicht richtig tot war, mit einem Tau fest an den Kutter zu binden. Was absolut nicht ohne Risiko gewesen ist bei so hohem Wellengang. Durft leider keins von den Fotos behalten. »Sind geheim, Taddelchen. Darf niemand wissen, wo sich dein Vatti überall rumtreibt und was er so nebenbei macht«, sagte die olle Marie.

Ist ja ne schräge Story.

Hört sich wie »Moby Dick« an, was wir bestimmt in der Glotze gesehen haben, womöglich du auch.

Pat und ich wußten, was wirklich im Wahlkampf lief, selbst wenn wir noch nicht den Durchblick hatten für das, was für Vater Sache war und warum er damit nicht aufhören konnte. Redenreden, immerzu reden!

Denn das ist schon der zweite Wahlkampf gewesen, bei dem er sich eingemischt hat. Schon vier Jahre vorher, als du, Taddel, grad mal geboren warst, gings um Brandt, der noch immer nur Bürgermeister war, und um die Sozis, für die Vater sogar Plakate gemalt hat, eins mit nem Hahn drauf, der »Espede« krähte.

Damals hat die alte Marie noch ganz andere Fotos mit ihrer Agfa-Spezial gemacht. Sagt ich schon: vorm Wahlkampf ist das gewesen, als wir nach Frankreich in die Ferien…

Sah man aber der Box nicht an, was die alles konnte. War eigentlich ein einfacher Kasten nur, der vorn drei Augen hatte. Ein großes in der Mitte, zwei kleine links-rechts darüber…

Sind die Brillantsucher von der Agfa-Spezial gewesen. Und groß in der Mitte das Objektiv…

Sag ich ja! Und oben drauf gabs Fensterchen zum Bild-suchen, in die Mariechen aber nie geguckt hat. Und rechts unten gabs den Knipser und noch ne Kurbel für die Filmrolle…

Und drei Blendwerte und drei Entfernungseinstellungen gabs…

Ist schon so gut wie alles gewesen. Mehr sah man nicht. Hab mein Ohr drangehalten. Hat mir Mariechen erlaubt. Nix war zu hören. War eben ne Zauberbox, wie du, Lara, den Kasten genannt hast. Oder ne Wunderbox.

Was ich aber lange nur für Gerede gehalten habe, daß nämlich der Kasten sehen konnte, was nie passiert ist.

Nimms nicht tragisch, Taddel! Heute, wo überall alles computermäßig läuft und rein virtuell Unmöglichstes möglich wird…

Wir waren damals nach den Beatles verrückt…

…und gemessen daran, was an Fantasy und Mystery in der Glotze läuft…

Wenn Vater mal wieder in London gewesen ist, brachte er uns die neuesten Platten mit: »Sgt. Pepper's Lonely Hearts Club Band« mit »Lovely Rita« und Paul McCartneys »When I'm Sixty-Four«…

Doch mit Harry Potter zum Beispiel könnte, rein optisch mein ich, die Zauberbox von der alten Marie kaum mithalten…

Aber du, Lara, hast nur deinen doofen Heintje gehört: »Mamatschi, schenk mir ein Pferdchen…«

…»Ein Pferdchen wär mein Paradies«.

Oder wenn im Kino die Dinosaurier wieder lebendig werden…

Wir haben nur immer die Beatles, bis für Pat die Rolling Stones Nummer eins wurden, während ich noch die Pilzköppe, bis ich mehr auf Jimi Hendrix, dann auf Frank Zappa stand…

…und zwar durch bloße Computeranimation… Flugechsen und so…

Jedenfalls ließen wir unsere Haare wachsen. Pats waren gelockt, meine glatter, aber bald länger als Laras Haare.

Außerdem war, was draußen ablief – na, in der Stadt, mein ich –, viel interessanter. Hab mich kaum noch, höchstens am Sonntag, gelangweilt. Waren zwar zu jung um mitzulaufen, als der Schah von Persien auf Besuch kam, und die Jubelperser mit Stangen und Dachlatten auf die Studenten drauf, und es sogar nen Toten gab, weil einer von den Bullen geschossen hat, doch auf alles, was bißchen Platz bot, haben ich und Jorsch »Make Love not War« gepinselt und uns gewünscht, in der Stadt, wo dauernd was los war, dabeizusein.

Und in genau solch ner Situation, beim Wünschen nämlich, hat uns die alte Marie mit ihrer Agfa-Spezial erwischt, so daß wir hinterher sehen konnten, wie mein Atze und ich eingehenkelt mit Rudi Dutschke, einem Chilenen und noch paar Typen übern Kudamm gezogen sind. Klar, weil wir gegen Krieg waren.

Gegen den in Vietnam sowieso.

Aber die Fotos mit uns vorneweg in der ersten Reihe, wie wir laut »Hohoho« oder was gegen Springer rufen, waren bloße Wunschfotos, genau wie Laras Wunschfotos oder wie die, die mir später die alte Marie gezeigt hat. Darunter waren einige, auf denen ich in einem selbstkonstruierten Auto sitze, das normal fahren, aber auch fliegen kann. Sah aus wie das Modell, das ich mir in kleinem Format halb als Landrover, halb als Helikopter aus lauter Einzelstücken gebastelt hatte. Nun aber war auf den Fotos drauf, daß mein Kleinmodell in Normalgröße nicht nur straßen-, sondern echt flugtauglich... Denn auf allen Abzügen war zu sehen, wie ich als Pilot hoch über den Dächern von Friedenau... Mach ne Links-, ne Rechtskurve... Links ist unter meinem Vielzweckmobil der Turm vom Friedenauer Rathaus, davor der Wochenmarkt zu erkennen mit der dicken Fischfrau und dem verrückten Blumenhändler, die mir beide nach oben zuwinken, und auch die Niedstraße mit unserem Klinkerhaus... Was willste, Taddel?

Einfache Frage nur: Wie ist es denn zu diesen absolut irren Flugfotos gekommen?

Darauf kriegste ne einfache Antwort: hab mir in meiner Bude – Pat hatte ja seine, in der es immer picobello aussah –, weil Mutter uns »Zankteufel«, wie sie sagte, mit ner Zwischenwand getrennt hatte, aus lauter technischem Müll und verschiedenem Blechspielzeug, das von Geburtstagen übrig war, solch ein Auto, das fliegen konnte, montiert. Und als die alte Marie mich in meinem »Chaos«, wie Vater meine Montagewerkstatt nannte, sitzen und an dem Flugmobil rumschrauben sah, rief sie: »Wünsch dir was, Jorsch, schnell, wünsch dir was!«, und schon hatte sie die Agfa-Spezial erst vorm Bauch, dann legte sie sich lang auf den Rücken, knipste nach oben, wo nullkommanichts war, nen ganzen Rollfilm ab. Später hat sie mich sogar, weil ich mir sowas genau so stark gewünscht hab, mit ihrer Spezial-Agfa zwischen die Beatles geschummelt: sitz am Schlagzeug anstelle von Ringo Starr und hab schrille Klamotten an.

War absolut tricky mit ihrem Kasten.

Mir kam das eher wundermäßig vor.

Damals glaubten wir noch an Wunder.

Vielleicht, weil wir alle getauft waren.

Das kommt dem Vater zu katholisch vor. An alles haben die Kinder, selbst Taddel, der immer hellwach... Denn

Mariechen knipste ins Blaue, und schon war das nächste Wunder abgehakt. Schon gingen Wünsche in Erfüllung. Schon trockneten Tränen. Und schon lächelte Lara, was selten geschah und als kostbar galt.

Der Vater jedoch setzte auf Zweifel. Den nicht endenwollenden Kriegen, dem nachwachsenden Unrecht, den christlichen Heuchlern hielt er sein Nein entgegen. Manchmal zu laut, manchmal zu leise. Später wurde ihm Zweifel sogar zur beschriebenen, im Untergrund überlebenden Person, der nur noch Schnecken zweifelsfrei waren. Denn viel von dem, was gedruckt als Tatsache galt, verlief ganz anders und gläubig in falsche Richtung. Was sich felsenfest gab, bröckelte. Hoffnungen schmolzen, sobald das Wetter umschlug. Und auch die Liebe erprobte als Irrläufer abseitige Wege, ging fremd.

Dabei geschah alles dem Kalender zu Folge: Termin nach Termin. Nur Mariechen konnte den Zeitverlauf aufheben und widerlegen. Ahnungen, von Schnappschüssen eingefangen. Sehnsüchte, erjagt von einer Box, die nicht richtig tickte, aber aufdeckte, freilegte, bloßstellte... Weshalb die Kinder nicht wissen sollen, was ihr Vater soeben ausgespart hat. Kein Wort über Schuld und ähnlich kompakte Paketzustellungen. Nur, daß es Schutzengel gab, früher, als Mariechen alles schwarzweiß beweisen konnte, sollte außer Zweifel sein...

Kuddelmuddel

Es waren einmal vier, später acht Kinder, die nun als erwachsen gelten; aber was heißt erwachsen sein? Rückfälle sind erlaubt.

Zur Stunde hocken sie zu dritt zusammen. Sobald er vom Drehort, einem nahegelegenen Filmstudio, weg kann, will Taddel, der seine Geschwister eingeladen hat, mitreden. »Unbedingt!« ruft seine letzte E-Mail.

Lena steht auf der Bühne: Familie Schroffenstein. Nana ist durch Nachtdienst in der Eppendorfer Klinik verhindert. Jasper und Paulchen sind immer noch nicht gefragt. Vorerst spulen die drei Erstgeborenen ab, was jeweils bei ihnen läuft, demnächst fällig oder ins Stocken geraten ist. Dabei wird ihnen Schweizerdeutsch, die Sprache der Mutter, geläufig. Pat klagt über nachklingenden Ehestreit, Georg, der hier Jorsch heißt, hat vor, seine, wie er sagt, »momentan finanzielle Schieflage« in den Griff zu bekommen. Lara ist froh, daß sie sich um ihre jüngsten Kinder noch keine Sorgen machen muß. Alle drei frotzeln sich gerne und trinken Tee dabei. Dazu gibt es Knabberzeug. Nur Jorsch raucht.

Die viel zu vielen Küchenuhren in den Regalen, auf dem Schrank zeugen von Taddels Sammelwut auf Hamburgs Flohmärkten. Später wird seine Frau, die, weil schwanger, scheinbar grundlos lächelt und wie abwesend einen Topf Gulasch, den ihr Mann vorgekocht hat, auf den Tisch stellt, sich zurückziehen und womöglich ihren

Computer befragen, immer noch lächelnd. Bevor es zu Bett gebracht wurde, tobte ihr Söhnchen durch alle Zimmer, den Flur lang zur Küche und stellte, wie Vierjährige es tun, Fragen, die selten passende Antwort finden.

Jetzt essen die Geschwister. Zwischendurch regelt Pat über sein Handy etwas, das er »ne längst überfällige Verabredung« nennt. Nachdem ihnen das Lammgulasch geschmeckt hat, sitzen sie auf dem Balkon mit Blick auf Hinterhöfe und ein abendlich leeres Schulgelände. Gestern hat es geregnet. Weiterer Regen ist angesagt. Trotzdem nur wenige Mücken. In Töpfen grünen Taddels Küchenkräuter als Zeugen seiner gern betonten Häuslichkeit.

Unausgesprochenes liegt in der Luft. Nur langsam fädeln die Geschwister sich in die Wirrnisse ihrer Kindheit, reden rückfällig, sind mal aufgekratzt, mal übellaunig, bestehen darauf, noch immer verletzt zu sein. Weil ihr Vater so will, fängt Pat an. Vorbeugend beteuert er, keinen Streit mit Jorsch beginnen zu wollen.

Mir gings mal so mal so. Ist heut nicht viel anders. Aber was solls! Jedenfalls begann Mariechen irgendwann »Achachach« und »son Kuddelmuddel« zu sagen, wenn sie uns sah.

Wie immer, wenn sie Schlimmes ahnte.

Hatte nen Riecher für sowas.

Ließ sich ja kaum übersehen, daß es bei uns den Bach runterging. Erst langsam, dann war wohl nix mehr zu machen.

Kennen selbst wir mittlerweile.

Auf einmal ist der Ofen aus.

Und in der Schule hingen wir durch.

Sogar du, Lara. Ich sowieso.

Und Taddel brachte das neue Kindermädchen – wie hieß die noch – zum Verzweifeln.

Aber das hat unser Väterchen nicht bekümmert. Vielleicht weil er schulmäßig wie wir ein Versager gewesen ist, mit Sitzenbleiben und so.

Schulkram hat er gehaßt.

Außerdem war er mit seinen Gedanken immer woanders.

Isser noch heut!

Nie kannste sicher sein, ob er zuhört oder nur tut als ob.

Weiß noch ungefähr, was er damals in der Mache hatte. Irgendwas mit nem Zahnarzt, nem Studienrat, zwei Schülern und nem Dackel, der wegen Napalm in Vietnam auffem Kudamm, direkt vor der Kempinskiterrasse, verbrannt werden sollte.

Hatte außerdem mit seinem Unterbiß zu tun.

Progenie nennt man das.

Hieß dann, als es fertig war, und jemand – vielleicht er – auf dem Buchumschlag seinen Finger übers brennende Feuerzeug hielt, »örtlich betäubt«, und hat ihm Ärger gebracht, jede Menge...

Mann, sind die Kritiker über ihn hergefallen, als es rauskam, das Buch.

Nehm mal an, weil die Zeitungsfritzen unbedingt wollten, daß er nur über Vergangenes schreiben sollte, und nicht über Sachen, die rein gegenwartsmäßig danebengingen.

Und dann fing er irgendwann an, Schnecken zu zeichnen, nur noch Schneckenwettläufe und »Schnecken im Gegenverkehr«, wie er das nannte.

Tat dabei so, als würd bei uns im Haus und auch sonst alles normal...

Und unsere Mama war genauso mit ihren Gedanken woanders. Vielleicht, weil ein Freund von den beiden kränker und kränker wurde. Der lebte weit weg in Prag mit seiner Familie und hatte…

Den mochte Mutter besonders.

Aber Vater mochte den auch.

Wir wußten nicht, was da lief. Ich jedenfalls war auf nem ganz anderen Trip, bin runter in den Keller, weil da nämlich…

Na gut, Jorsch, erzähl schon.

Fing an, weil du auf einmal ne Freundin hattest. Maxi hieß die. Und alle sagten, »Ganz süß sieht die aus. Ach, was hat unser Pat doch ne süße Freundin!«

Hing echt an dir.

Logo, weil meinem Atze die Mädels nachliefen, mir nicht. Hat mich gewurmt. Hatte andauernd Pech. Mal rannte ich vorm Haus direkt in ein Auto, kam aber mit ner Beule davon. Mal riß ich mir das Schienbein an nem rostigen Nagel auf. Worauf Vater, klar, nen tröstenden Spruch losließ, etwa so: »Heilt schnell, wenn man jung ist. Bring das jetzt hinter dich, Jorsch, dann gehts dir später besser.« War nicht mal falsch, was er sagte. Außerdem hatte ich Freunde, besonders vier Jungs, die mit mir, als ich noch keine fuffzehn war, ne Rockband gegründet haben. Hieß »Chippendale«, vielleicht, weil uns die alte Marie den Tip mit dem Namen gegeben hat. Wir durften im Keller üben…

War das ein Gewummer!

Zwei der Jungs spielten Gitarre, einer Baß, einer saß am Schlagzeug, ich bediente die Technik. Stimmt, muß ganz schön laut gewesen sein, was wir fabriziert haben. Deshalb wurde nur dann geübt, wenn Vater nicht unterm

Dach saß. Waren ehrgeizig, die Jungs, weil wir irgendwann, irgendwo auftreten wollten, in irgend nem Rockschuppen. Aber Fakt ist, daß wir nicht fertig wurden mit Üben. Nur auf der Fotofolge, die die alte Marie von uns geknipst hat, als wir wieder mal im Keller hockten, und sie plötzlich mit ihrer Box vorm Bauch in der Tür stand, sah es so aus, als würden wir bei einer Session im Freien – kam mir wie die Waldbühne vor, wo vor kurzem die Rolling Stones ne Riesenshow abgezogen hatten...

Weiß noch, gab Krawall danach...

...und nun wir als Rockband vor paar tausend Leutchen. Sah man genau: wir auf der Bühne ganz oben! Unsere große Nummer! War Hardrock, den wir draufhatten. Die Menge tobte. Forderte Zugabe, Zugabe! – nehm ich mal an. Als die alte Marie mir die Abzüge zeigte und ich ganz baff war, sagte sie und grinste bißchen dabei: »Krieg ich aber ne Freikarte, wenns soweit ist, versprochen, Jorsch?« Den Jungs hab ich die Fotos nie gezeigt. Hätt mich geschämt, denn die vier hatten, rein vom Sound her, wirklich was drauf und wären noch mehr enttäuscht gewesen, weil wir einfach nicht fertig wurden. Deshalb gabs nie ne echte Chance für uns, so doll die Jungs waren. Mir ging ja leider, auch wenn ich das Gehör dafür hatte, das Musikalische ab. Und auf dem ollen Klavier, das bei uns rumstand, hast nur du geübt, stimmts, Lara? Aber für die Technik von unserer Band war allein ich zuständig: Verstärker, Tonsteuerung, was sonst noch anfiel. Bestimmt bin ich deshalb später, bald nach meiner Lehre in Köln, erst Anlagenelektroniker, dann nach ner Pause, in der ich als simpler Elektriker nur Schlitze gekloppt hab, Tontechniker geworden. Stand – wißt ihr ja – jahrelang mit Kopfhörern und Angel bei Film und

Fernsehen rum. Verdien so noch heut meine Brötchen, als Tonmeister nun. Doch Pat, unser Erstgeborener, hatte zwar jede Menge Mädelgeschichten am Hals, wußte aber nie, was er eigentlich wollte. War doch so, Atze! Wenn man dich fragte, »Was willste später mal werden?«, haste »Wolkenschieber« gesagt. Dabei hat dir die alte Marie den richtigen Tip gegeben, wie es mit dir anders, ganz anders hätt laufen können. Ja doch! Die Sache mit dem Knopfladen mein ich.

Mit den Mädels ist was dran, jedenfalls manchmal zwischendurch immer wieder. Ist nun mal so bei mir. Hielt aber nie lange. Mit Maxi auch nicht, so süß die gewesen ist. Wohnte jottwede in den Britzer Neubauten. Haben wir mal besucht, die Familie von Maxi. Zu Kaffee und Kuchen, hieß es. Ich mit Vater und Mutter an einem Sonntag. Kann sein, daß du dabei gewesen bist, Lara. Na, wenn nicht, ist auch egal. Jedenfalls hat Vater, was mir peinlich war, Blumen aus nem Automaten in der U-Bahn-Station gezogen. Die waren für die Mutter von Maxi bestimmt. War dann aber ganz nett in dem Hochhaus. Hatten ne Wohnung mit Fernblick. Ne richtige Tischdecke gabs und Teppiche. Und ganz verschiedene Blümchentapeten. Richtig gemütlich. Nicht so kahl wie bei uns. Wir hatten ja nicht mal Fenstergardinen. Und Maxi, weiß ich noch, tat ganz aufgeregt. Trotzdem war das nix auf Dauer mit ihr. Wollte bloß immer das Gezwitscher von Mireille Mathieu hören, während mir alles – naja, vielleicht Maxi sogar – schnell langweilig wurde. Gab Tränen und so.

Und wir haben sie trösten müssen.

Hing an dir, die Arme, noch lange…

Tat mir auch leid. Aber später dann begann die Geschichte mit Sonja, die sogar schon ne Tochter hatte, die bißchen jünger als Taddel war. Mann, was fürn Unterschied. Ne richtige Frau. Wußte in allem Bescheid. Half mir sogar bei den Schularbeiten. Und weil sich die Geschichte hinzog, hab ich dann irgendwann später meine Sachen gepackt und bin weg von euch, ab zu ihr, aber nur eine Straße weiter in die Handjery. Da war ich schon sechzehn, und bei uns im Klinkerhaus hatte sowieso keiner den Durchblick mehr, so daß Mariechen uns auch nicht mehr knipsen wollte mit ihrer Wünschdirwasbox, hat immer nur »Achachach« gesagt, wenn sie uns sah.

Oder »Son Kuddelmuddel«...

Weil keiner mehr wußte, was lief.

Auch ich hab erst hinterher kapiert, was mir vorher nur langsam dämmerte, als unser Väterchen nämlich nach einer seiner Reisen aus Rumänien, was schwierig gewesen sein muß, einem jungen Kerl half, aus Siebenbürgen rauszukommen.

Sah bißchen so aus, wie unser Vater auf Fotos ausgesehen hat, als er noch jung und ein magerer Hecht gewesen ist.

Nun wohnte der bei uns, weil unsere Eltern der Meinung waren, »Ist hochbegabt. Aus dem wird bestimmt mal was...«

Hieß immer: »Muß sich aber erst eingewöhnen im Westen, braucht unbedingt Hilfe.«

Weshalb sich unsere Mama fürsorgemäßig um ihn gekümmert hat, dann aber...

Klar, daß man sich kümmern mußte um ihn.

War als Typ interessant. Sah immer ernst, fast tragisch aus.

Doch Vater war nur noch da, wenn er nicht für die Espede auf Wahlkampfreise ging.

Dann starb in Prag, wo paar Jahre vorher die Russen mit Panzern einmarschiert waren, der Freund von Mama und Väterchen an einem Tumor im Kopf, was, nehm mal an, für beide unterschiedlich schlimm gewesen ist.

Sind aber doch zusammen zur Beerdigung gefahren.

Kamen ganz stumm zurück.

Haben nur noch das Nötigste geredet, wer was einkauft und so.

Fiel auf, weil die beiden früher andauernd was zu reden hatten, über Bücher, Filme, Musik, Bilder, überhaupt über Kunst. Hatten nie Langeweile wie ich.

Und gelacht und getanzt wie verrückt haben sie, wenn Besuch kam.

Wir hatten ja viel Besuch.

Das änderte sich.

Alles änderte sich.

Gab nix mehr zu lachen.

Und im Haus verlief alles nur noch gedämpft, weil zwischen unserer Mama…

Sag ich ja, daß man das mitbekam, auch wenn ich später nur noch selten bei uns im Klinkerhaus war und vielleicht gedacht hab: geht mich nix an. Fing an, in sowas wien Tagebuch zu schreiben. Mach ich immer noch, gleich, obs mir schlecht oder gut geht. Damals gings mir einigermaßen. Hatte inzwischen ne feste Bindung. Sah aus wie ne kleine Familie. Und als ich dann mit meiner Freundin und ihrem Töchterchen auf der Rheinstraße, weißnichtwofür, paar Knöpfe kaufen wollte, gingen wir in ein Kurzwarengeschäft. So hieß der Laden. Na, kennt ihr ja die Geschichte: Alles gabs da. Tausende Knöpfe aus Horn, Plastik, Perlmutt, Blech, aus Holz. Solche mit Lack überzogen, andere mit Stoff. Bunte in allen Farben, goldene, silberne, Uniformknöpfe sogar. Auch vier- und sechseckige. Ganze Regale mit Knöpfen in Pappkartons, auf denen immer vorn ein einziger Knopp als Muster klebte. Wir haben nur noch gestaunt. Und die alte Frau, der der Laden gehörte, sagte, als sie uns staunen sah: »Können Se haben den ganzen Kram. Kann sowieso nich mehr, weil meine Beine. Na, wie isses? Kostet nich viel.« Da hat meine Freundin nur so, mehr aus Jux gefragt: »Wieviel denn?«, und die Alte hat »Zweitausend Märker nur« gesagt. Hatten wir nicht. Woher auch? Weil aber mit Mutter darüber kaum zu reden war, hab ich Vater, der grad von ner Reise zurückkam, nicht richtig ernst, mehr aus Daffke gefragt: »Kannste mir mal zweitausend pumpen? Kriegste zurück, bestimmt.« Geb ja zu, war ein Haufen Knete. Aber Mariechen stand neben ihm, als ich unterm Dach, wo die beiden mal wieder was zu besprechen hatten, einfach so gefragt hab. Gab erst ne Beratung. Und Mariechen muß Vater, als beide genug geflüstert hatten, überredet haben…

Das konnt sie…

Auf die alte Marie hat er gehört.

Aber sie auf ihn auch.

Die funkten auf einer Wellenlänge.

Vielleicht, weil beide aus dem Osten…

Jedenfalls bekam ich die zweitausend und hab dann den Laden von der alten Frau nach und nach ausgeräumt. Alle Kartons mit zehntausend und mehr Knöpfen drin. Ungelogen, waren so viele. Außerdem Schachteln voll Zwirn, Nähseide, Reißverschlüssen, Stricknadeln, Fingerhüten und was noch alles. Den ganzen Kram hab ich ordentlich – darin ganz anders als du, stimmts, Atze? – im Keller in der Handjerystraße verstaut, hab extra Regale dafür gebaut. Danach jedes Kästchen beschriftet mit der genauen Zahl von ner bestimmten Knopfsorte…

Auch die Kästchen mit dem anderen Kram, na, dem Zwirn und so?

Sag ich ja: alles! Und prompt stand dann eines Tages Mariechen im Keller und hat mit ihrer Wünschdirwasbox…

…und – logo! – ohne Blitzlicht wie immer…

…die Wand voller Kartons und Schachteln geknipst, ohne daß ich gesagt hätte, »Knips mal, Mariechen!«. Was aber dann rauskam aus ihrer Dunkelkammer, hätt sich keiner ausdenken können, ihr auch nicht. War ne Wucht! Ungelogen: ich mit nem Bauchladen. Na, son Kasten mit Tragegurten, in dem meine allerschönsten Knöpfe, darunter ganz seltene, ordentlich sortiert lagen. Solche aus Hirschhorn, andere aus Perlmutt. Emaillierte, silbrige Knöpfe. Wien fliegender Händler stand ich mit dem Laden vorm Bauch, mit meinen langen Haaren, weshalb ich auf den Fotos »rein zum Verlieben« aussah, wie Mariechen geflötet hat. Auf anderen Fotos war zu sehen, wie ich die Knöpfe verkauft hab: im Dutzend oder abgezählt noch mehr. Nämlich mal in dieser, mal inner anderen Boutique. Und zwar, was man sehen konnte, immer bar auf die Hand. Die Verkäuferinnen in den Boutiquen sahen alle begeistert aus, weil in meinem Bauchladen Knöpfe zu finden waren, die es woanders nicht mehr gab, vielleicht auch, weil sie sich in meine langen Locken verguckten. Jedenfalls bekam ich auf einem Foto ein Küßchen von ner schon älteren Madame. Da hab ich mir gedacht, als ich die Fotos sah: warum nicht, Pat! Was solls! Mal was anderes. Und hab mir im Keller, wo Vater, um uns zu beschäftigen, eine Hobelbank mit Werkzeug hingestellt hatte, aus Buche genau solch einen Bauchladen getischlert wie der, den ich auf den Fotos umgehängt trug. Hatte ein Händchen dafür. Du, Atze, hast ja handwerklich ähnlich was draufgehabt...

Aber mehr mit technischem Zeug, weil bei mir...

Jedenfalls waren mein Atze und ich ganz anders als Vater, der nicht mal ne Glühbirne richtig einschrauben konnte. Und so hab ich dann mit meinem Bauchladen, der einen rotbraunen Deckel hatte, innen aber naturfarben war, auf dem Kudamm und in allen Nebenstraßen, überall wo 's schicke Modeläden gab, ganz schnell Kohle gemacht. Weil ich schon sechzehn war, konnt ich mir nämlich nen Gewerbeschein besorgen. Ging ziemlich einfach, so daß ich legal abkassiert hab. Und ein Jahr später, als Vater nur noch ab und zu in die Niedstraße kam, konnt ich ihm die zweitausend auf die Hand blättern. War mächtig stolz. Er auf seinen Sohn auch, nehm ich mal an. Aber wie das so ist bei mir: als mein Bauchladengeschäft richtig brummte – denn nicht nur die Knöppe, auch den Zwirn, die Nähseide, sogar die Reißverschlüsse wurd ich los –, hatt ich schon keinen Spaß mehr dran. Hat mich angeödet, immer nur Kohle machen, und von den schrillen Weibern in den Boutiquen...

So wars, Atze! Hast Schluß gemacht, weil dich die Knöpfe gelangweilt haben...

...oder »langgeweilt«, wie du damals gesagt hast.

Hattest einfach keinen Bock mehr drauf.

Jedenfalls hab ich den ganzen Krempel samt Bauchladen und allem, was es an Knöpfen und sonst noch auf Lager gab, an einen Freund von dir...

Genau, an Ralf...

...einfach verhökert.

Und dieser Ralf, der später von uns allen rein gewohnheitsmäßig nur noch »Knopfralf« genannt wurde, betreibt sein Knopfgeschäft immer noch.

Hat sogar dazugekauft und später selber Knöpfe aus Kuhhörnern gedreht. Wollt einfach kein Ende nehmen mit deinen Knöpfen...

Und Knopfralf lebt, wie ich von meiner Freundin Lilly gehört habe, gar nicht mal schlecht davon.

Deshalb habt ihr beide mir, aber auch Taddel andauernd und manchmal sogar Vater in den Ohren gelegen: »Ach, Pat, wärst du doch bloß bei den Knöpfen geblieben.«

Aber du wolltest ja ne Zeitlang sowas wie Missionar, später unbedingt Bauer werden.

Hast es sogar geschafft. Und zwar rein biomäßig. Auf einem richtigen Hof mit Tiefstall, Käserei und einer Milchleitung quer übern Hof, doch leider ohne Pferde. Hast aber mehr als zwanzig Kühe gemolken, jahrelang täglich, nur Kühe...

Bis es – logo! – meinem Atze wieder mal langweilig wurde.

Stimmt nicht! Spielte anderes ne Rolle, weil als die Mauer weg war und die Einheit mit ner neuen Marktlage kam...

Und weil deine Frau als Italienerin...

Aber mit dem Bauchladen voller Knöpfe, den dir die alte Marie aus ihrer Box gezaubert hatte, bist du richtig zufrieden gewesen...

Nur für dich, Lara, gings leider nicht lustig zu, als ich nämlich in die Lehre nach Köln abzischte und Pat nur noch bei seiner kleinen Familie in der Handjery gewohnt hat, wo ihm seine Freundin so lange bei Mathe und anderem Schulkram geholfen hat, bis er doch noch sein Abi...

Wonach die Sache vorbei war. Das heißt: sie hat mich ausgebootet. Aber was solls! Vielleicht hielt das nicht, weil ich für sowas zu jung gewesen bin. Trampte irgendwann später nach Norwegen, wo ich ne Freundin kannte, mit der ich anfangs in einem Zelt, bis ich allein rauf in die Finnmark... Aber das ist ne andere Geschichte.

Ach was! Nach Norden biste nur hoch, weil Vater, als er noch jung war, bis tief in den Süden runter getrampt ist...

Doch bevor ich bis kurz vors Nordkap, hat mich Marie-chen mit Rucksack und draufgeschnalltem Zelt vor ihre Box gestellt...

Und was Wunschmäßiges kam dabei raus? Darf man raten?

Bestimmt, wie mein Atze mit nem blutjungen Lappen-mädel...

Nix davon. Sag ich nicht. Oder nur soviel. Erst als ich zurückkam, war auf paar Fotos zu sehen, wie ich mutter-seelenallein durch die nordische Pampa irre. Ohne Kom-paß und Wegkarte. Hatte mich verlaufen. Saß heulend auf nem bemoosten Stein. Hab, was man nicht sehen konnte, gebetet sogar: »Laß mich nicht sterben, lieber Gott, bin noch so jung...« Jedenfalls sah man auf den Fotos, die alles vorausgewußt hatten, wie fix und fertig ich gewesen bin. Hab sogar in mein Tagebuch sowas wien Testament geschrieben. Ist dann doch noch jemand gekommen, ne Art Jagdaufseher. Hat mir gezeigt, wos langging.

Siehste, Atze! Beten hilft manchmal.

Nur mir half keiner. Alle woanders. Jorsch steckte, bevor er in die Lehre ging, nur noch bei seinen Jungs unten im Keller und machte Krach, den sie Sound nannten. Außerdem hing Pat – ich mein, bevor du deine große Tour ab in den Norden gemacht hast – nur noch bei seiner Sonja rum, die lange Kleider trug, die wie Nachthemden aussahen. Stimmt doch, hattest nur Knöpfe im Kopf und das, was du deine neue Familie genannt hast. Na, deine Braut und ihre Tochter, die auch solche Schlabberkleider trug mit lauter Rüschen und Schleifchen dran. War das ein Getue! Und Taddel, der trieb sich nur draußen rum – wo bleibt er eigentlich? Wollte längst hier sein – und hatte Freunde, die alle Hausmeisterkinder waren und sich auch draußen rumtrieben. Da half kein Wünschen mehr, denn die alte Marie kam viel seltener als früher, und wenn sie kam, konnte man sie nur »Achachach« stöhnen hören, weil sie genau wußte, warum es bei uns nicht mehr klappte, rein familienmäßig. »Son Kuddelmuddel«, sagte sie. Denn unser Väterchen und unsere Mama lebten nur noch aus Gewohnheit zusammen, wobei jeder sich was extrem anderes gewünscht hat. Sie kümmerte sich um ihren jungen Mann, der auf hilflos machte und dabei aussah, als würd gleich morgen die Welt untergehen, und mein Väterchen kam nur noch alle vierzehn Tage wie auf Besuch, war aber nicht mehr richtig bei sich unterm Dach, sondern stand mal hier, mal da, sogar in der Küche irgendwie fremd rum, weil er eigentlich bei einer anderen Frau lebte und dafür auf dem Land ein Haus gekauft hatte.

Hat er immer gemacht, wenn von nem neuen Buch genug übrigblieb.

Handelt vom Wahlkampf, aber auch von den Juden, wie sie aus seiner Heimatstadt vertrieben wurden.

Alle vier kommen wir in dem Schneckenbuch vor. Du, Lara, wie er mit dir auf einem Berg Ziegen sucht, damit sie euch Salz aus der Hand lecken können.

Und über Pat gibts sogar ein Gedicht, das bißchen traurig, nein, irgendwie besorgt klingt.

Und über Taddel, der, als er klein war, an fast jeden Satz
das Wort »leider« gehängt hat, kann man lesen, wie er »Das
ist mein Vatti, leider« und noch andere Sprüche drauf hat.

Als er mir mal aussem Schneckenbuch, bevor es fertig
war, vorlas, hat sich das spannend angehört, wie er verschiedene Zeiten vermischte...

Daran schrieb er schon, bevor er die Neue hatte.

Die wurde bald schwanger von ihm.

Lief auch anfangs nach Wunsch ab, hat er mir gesagt, als
ich ihn zusammen mit meinem Joggi auf dem Land
besucht hab. Fand es ganz schön da. Die Neue hatte zwei
Töchter, beide so blond wie ihre Mutter. Die Gegend dort
lag so flach und so tief, daß überall Deiche notwendig
waren. Durch die Wiesen liefen Gräben, die Wettern hießen. Und vom Deich konnte man auf einen Fluß gucken.
Sogar eine Fähre gab es, wenn man von Glückstadt kam
und ins Dorf wollte. Und gar nicht weit weg sah man von
einem anderen Deich, wie die Stör in die Elbe floß. Und
am Elbstrand konnt man erkennen, wann Ebbe, wann Flut
war. Überall Kühe und viel Himmel darüber. Für mich
war das alles neu. Mein Väterchen hat mir dann später ein
Pferd geschenkt, das ich mir schon immer gewünscht
hatte. Was hab ich gebettelt, als wir in der Stadt noch eine
richtige Familie waren: »Bittebitte. Kann auch ein kleines
sein. Nur bißchen größer als Joggi. Kann neben meinem
Bett schlafen.« Und die alte Marie hat, um mich zu trösten,
gesagt: »Wünsch dir was, Larakind!« und mich dann, weil
ich zwischen euch, meinen Brüdern, so unglücklich rumhing, mit ihrer Zauberbox geknipst. Wobei sie Sprüche aus
altmodischen Wörtern gemurmelt hat, so daß sie mir

wenig später zeigen konnte, was sie in ihrer Dunkelkammer gezaubert hatte: auf allen Fotos war zu sehen, wie ich auf einem richtigen Pferd sitze und richtig reiten kann...

Ist ja gut, Lara. Diese Geschichte kennen wir.

Lief ab wie mit deinem Joggi...

Und wenn schon! Jedenfalls sah das Pferd auf dem Foto genau so aus wie das Pferd, das mir mein Väterchen geschenkt hat, als er mit seiner neuen Frau schon auf dem Land lebte und anfangs sogar glücklich aussah. Lachte viel. Schien echt verrückt zu sein nach der Neuen, die größer, bestimmt einen halben Kopf größer als er und meistens sehr ernst war, so daß unser Väterchen lauter Faxen machen mußte, um sie zum Lachen zu bringen. Dauerte aber nicht lange, das Glück. Denn er und seine Neue stritten sich zu oft. Besonders als sie dann schwanger war und im dritten Monat. Na, über alles. Sogar um eine Geschirrspülmaschine gings. Dabei hatten sich beide ein Kind, unsere Lena, gewünscht. Aber sowas kannte unser Väterchen nicht: dauernd Streit.

Mit unserer Mutter gabs sowas nicht.

Stimmt! Hab nie erlebt, daß die beiden miteinander mal richtig laut...

Nicht, wenn wir in der Nähe waren.

Als sie zusammen nicht mehr reden, lachen und wie verrückt tanzen konnten, schwiegen sie, was ja genauso schlimm war.

Vielleicht sogar schlimmer als Streit, der schon schlimm genug sein kann.

Vielleicht gabs zum Schluß nix mehr, worüber sie hätten streiten können.

Jedenfalls bin ich froh gewesen, daß ich meinen Joggi hatte und nun sogar ein Pferd, selbst wenn ich auf dem nur selten reiten konnte, wenn ich ins Dorf kam. Sonst aber stand Nacke bei einem Bauern auf der Weide und war traurig, weil die beiden Töchter von Väterchens neuer Frau nicht reiten konnten.

Heißen Mieke und Rieke.

Eigentlich schade, daß man sie später, als wir schon alle erwachsen waren, nur selten zu sehen bekam.

Rieke lebt in Amerika.

Ist mit nem Japaner verheiratet, mit dem sie einen Sohn hat...

Und Mieke hat mit nem Italiener zwei Töchter...

War jedenfalls dreizehn oder bald vierzehn, als ich ein Pferd bekam, das wir Nacke nannten, weißnichtwarum. Nun muß ich mich aber auf einmal ganz anders als früher benommen haben, als ich immer, wie ihr sagt, so ernst gewesen sein soll. Fing wegen nichts an zu kichern, machte Quatsch. Aber Taddel – schad, daß er noch immer nicht da ist – fand mich nur blöd, weil ich mich so pubertätsmäßig benahm. Zum Glück hatte ich zwei Freundinnen, die so alt wie ich waren. Mit denen ließ sich gut rumalbern. Die eine hieß Sani und war, was man sehen konnte, eine halbe Äthiopierin, und zwar von ihrem Vater her. Die andere – wißt ihr noch? – hieß Lilly und war von der Mutter her eine halbe Tschechin. Bis heut sind wir befreundet, sehen uns aber selten. Damals hingen wir aneinander. Und jedesmal gab es, wenn wir drei zusammen waren, was zu lachen, nur nicht für den armen Taddel, der – warum kommt er nicht endlich! – uns drei, wie er gesagt hat, zum Kotzen fand. Doch die alte Marie schwärmte richtig, wenn sie uns sah. »Trau meinen Augen nicht: die drei Grazien!« So wie unser Väterchen viel später zu Lena, Nana und mir gesagt hat, »Meine drei Grazien«, als er mit uns auf »Töchterreise« in Italien war und wir mit ihm in Museen Bilder angeguckt haben, auf denen man manchmal gemalte Grazien sehen konnte. Und genau so hat die alte Marie uns alle drei vor ihre Box gestellt, immer wieder…

Bei sich im Atelier unterm Dach?

Ist doch egal wo!

Meistens auf dem Kudamm, außerdem noch im Tiergarten. Aber hinterher, als sie die Bildchen aus der Dunkelkammer holte, hatten wir nicht mehr unsere Schlabberpullis an, sondern sahen jedesmal anders kostümiert aus. Grad wie wir es uns gewünscht hatten: mal mit hohen Perücken und in Reifröcken, mal streng wie Königinnen aus dem Mittelalter. Dann als Nonnen im Kloster, dann als Huren auf dem Strich. Auf einem Foto hatten wir alle drei Bubikopffrisuren, wie die alte Marie eine trug, und rauchten Zigaretten an langer Spitze, genau wie sie gepafft hat, wenn sie bei Laune war. Und einmal, als sie uns knipste, und zwar ganz normal in Jeans und unseren Schlabberpullis, kam aus der Dunkelkammer was raus, was wir uns heimlich auch noch gewünscht hatten: nämlich echt nackt, aber in Stöckelschuhen liefen wir auf dem Kudamm zwischen all den Leuten rum, die nur geglotzt haben. Mal stöckelten wir hochhackig hintereinander, Sani voran, mal eingehenkelt nebeneinander. Auf einem Schnappschuß konnte Lilly, die sportmäßig mehr draufhatte als Sani und ich, nackt einen Handstand. Und Radschlagen konnte sie… Aber niemand hat Beifall…

Und sowas habt ihr euch wirklich vorher gewünscht?

Bittebitte, Mariechen, zieh mal ne Stripteasenummer mit uns ab?

In Gedanken schon. Doch die alte Marie hat uns die Fotos – waren mehr als acht Stück – nur ganz kurz gezeigt und dann zerrissen, alle, zuletzt die evamäßigen, weil, wie sie sagte, »kain Mänsch sowas sehen darf«, wie wir nackt durch die Gegend gestöckelt sind. Gelacht hat sie, als sie die Fotos zerriß: »Jung mißt man sein wie ihr drei Täubchen, so jungsch!« Doch so lustig gings nicht immer zu. Lange Zeit nicht. Red ich aber nicht drüber. Als ich dann sechzehn war, war Schluß mit der Schule. Wollte Töpferin werden. Und Väterchen sagte auch: »Hast ein Händchen dafür.« Fehlte bloß eine Lehrstelle. Die gabs in der Stadt nicht…

Endlich, da biste ja, Taddel!

Wurde aber auch Zeit!

War gut, dein Lammgulasch…

…ist nix mehr von übrig.

Wieder mal absoluter Streß. Konnte nicht früher. Wie weit seid ihr?

Bis kurz nach dem ersten Kuddelmuddel, als Pat schon ausgezogen war, Jorsch bald danach in die Lehre ging, unser Väterchen mit Lenas Mutter zu tun hatte, familienmäßig so gut wie nichts lief, du nur noch rumhingst und ich mit meinen Freundinnen unbedingt auf dem Kudamm geknipst werden wollte, weil wir…

Verstehe. Wurde immer leerer das Haus. Blieb nur noch ich übrig. Und keiner, nicht meine Mutti, nicht mal mein Vatti, wollte mir erklären, warum das so war, daß alle wegliefen und alles ganz anders wurde, absolut beschissen, so daß ich nur noch – wie du das nennst, Lara – bei meinem Freund Gottfried rumhing, bei dem ich immerhin sowas wie eine Ersatzfamilie geboten bekam. Und keiner – sagte ich schon – wollte mir klarmachen, warum bei uns alles nicht mehr wie früher… Pat und Jorsch schon gar nicht. Seid dann auch beide weg. Nur das olle Mariechen hat mir, weil ich nicht spitzbekam, was zwischen meinen Eltern aus der Richtung oder kaputt war, heimlich was zugeflüstert: »Das ist die Liebe, mein kleiner Taddel. Die macht was sie will. Gegen die gibts kein Kraut nicht. Die kommt und geht. Und schmerzt, wenn sie weg ist. Doch manchmal bleibt sie bis zum Tod.« Und dann hat sie von ihrem Hans geredet, nur noch…

Hat Mariechen immer, wenn sie durchhing und nicht mal ihre Selbstgedrehten an langer Spitze rauchen wollte.

Und wenn sie von ihrer Liebe zu ihrem Hans redete, kam jedesmal der Satz: »Die dauert, auch wenn nuscht mehr da ist zum Lieben.«

Ich hab – belemmert, wie ich mir vorkam – gebettelt, »Knips doch mal, Mariechen, wie es weitergeht mit Vatti und Mutti. Deine Box weiß sowas doch…« Auch wenn ich eigentlich, wie ihr wißt, nie richtig glauben wollte, daß der Kasten mehr sehen konnte, als da war. Hat sich aber ge- weigert. War absolut nichts zu machen. Kein Foto. Weder von meinem Vatti und seiner Neuen noch von unserer Mutti und ihrem Liebhaber. Paar Schnappschüsse, mein ich, auf denen zu sehen gewesen wäre, wie lange das dau- ern würde mit der Liebe und so. Und ob die beiden, wenn sie endlich genug gehabt hätten, na, er von seiner und sie von ihrem, wieder die Kurve kriegen würden und zusam- men wie früher, als sie noch miteinander geredet, gelacht und getanzt haben, als noch kein Kuddelmuddel… Aber die olle Marie wollte nicht knipsen. Sagte ich schon. Abso- lut nicht. Und wenn sie heimlich doch mit ihrem Kasten draufgehalten hat, weit weg auf dem Land, wo mein Vatti teilweise mit Lenas Mama lebte, oder von unserer Mutti, wie sie beim Frühstück in der Küche mit ihrem Liebhaber saß, mit dem ich nicht klarkam, hat sie mir trotzdem nix von dem gezeigt, was aus ihrer Dunkelkammer... Hat immer nur »Achachach« und »So ist das mit der Liebe« gesagt, wenn ich fragte. Mehr kam nicht. Hab damals viel geweint. Nur heimlich. Oben unterm Dach, wo nur noch Vattis Bücher, sein Stehpult, sein Kram... Hat keiner was von gemerkt, auch du nicht, Lara, wie ich geweint hab, weil... Hast immer nur mit deinen Freundinnen... Habt rumgekichert. Und wenn ich mit euch dreien mitwollte in die Stadt oder sonstwohin, wo ihr rumgestromert seid, hieß es bloß immer: »Taddel, du störst« oder: »Wo wir hingehen, da biste zu klein für.« Aber bevor die olle Marie all die Pornofotos zerriß, die sie von euch dreien geknipst und dann mit nem Trick in ihrer Dunkelkammer verzaubert hat, hab ich jedes einzelne Foto, wenn auch nur kurz, zu sehen gekriegt...

Haste nicht!

Hab ich doch. Wie ihr alle drei...

Niemals hätt dir die alte Marie auch nur ein einziges von den Fotos...

Wetten, daß? Alle acht und noch mehr. Eins nach dem anderen, wie du mit deinen Freundinnen, den blöden Ziegen, von oben bis unten nackicht auf dem Kudamm...

Hör auf, Taddel!

Erst zu spät kommen, und dann stänkern.

Nur noch das, dann halt ich die Klappe.

Versprochen?

Absolutes Ehrenwort. Denn auf einem der Schnappschüsse sah man euch sogar splitterfasernackt an einem Tisch im Café Kranzlereck zwischen lauter kuchenfres-

senden Weibern sitzen, die natürlich Klamotten an-
hatten...

Aufhören, Taddel!

Dabei habt ihr in Eisbechern rumgelöffelt. Ich aber...

Los, Jorsch! Stell den Ton ab!

...hing nur noch rum, hatte absolut keine Ahnung von
nix, mußte oft weinen, weil ich immer nur zu hören
bekam: »Du störst, Taddel! Jetzt reichts, Taddel!« Nur die
olle Marie hat mir, weil nichts mehr wie früher war, heimlich was zugeflüstert...

Jetzt weiß der Vater nicht, was tun: tilgen, was geschrieben
steht? Ersatzweise Harmloses finden, dem keine Empfind-
lichkeiten abzuleiten sind? Oder den Streit verlängern?
Oder gegen den Willen der Söhne dennoch in Nebensätzen andeuten, welches Kraut beide heimlich, doch war
vom Geruch her... Was eigentlich verjährt sein sollte...
Oder was meint ihr, Pat und Jorsch?

Einige Kinder haben ihm schon zuvor, als es um »Vattis
Neue« und »Mamas Liebhaber« ging, Unwillen signali-
siert. Sie wollten nicht mehr nach seinen Worten. Die
Tochter, die Söhne weigerten sich, Teilhaber seiner Geschichten zu sein. »Laß uns da raus!« riefen sie. »Aber«, hat
er gesagt, »eure Geschichten sind auch meine, die lustigen
wie die traurigen. Kuddelmuddel gehört zum Leben!«

Und dann mußte er zugeben, daß Mariechen, die mit
ihrer Box sogar dann dabei war, wenn etwas abseits geschah, ganz schlimme Sachen, die immer noch weh tun
könnten, in ihrer Dunkelkammer gelassen oder als Negative zerschnipselt hat. »Reinste Damlichkaiten!« rief sie.
»Da guckt meine Box lieber weg und schämt sich, das
kann sie...«

Jetzt hofft der unzulängliche Vater, daß die Kinder ein Einsehen haben. Denn weder können sie sein Leben, noch er ihres wegstreichen, wie ungelebt einfach wegstreichen...

Wünschdirwas

Nach soviel verstrichener Zeit wollen die Tränen noch immer nicht trocknen. »Tut weh«, sagt Nana und lächelt gegenan. Taddel ist diesmal pünktlich und scheint, laut angekündigt, »noch was in petto« zu haben. Jasper und Paulchen kommen später, wollen aber mitreden, sobald sie dran sind. Und Pat und Jorsch, um die es nicht mehr geht, haben beschlossen, sagt Jorsch, »vorläufig die Klappe zu halten«.

Aber dann besteht Pat darauf, doch ein Wörtchen beizutragen, worauf Jorsch plötzlich die dauerhafte Existenz der Agfa-Spezial bezweifelt. Er gibt zu bedenken, ob sich die alte Marie nicht im Jahr sechsunddreißig, also pünktlich zu den Olympischen Spielen, eine Agfa-Trolix-Box mit Bakelitgehäuse, die damals für nur neun Reichsmark fünfzig auf den Markt gekommen und wie »warme Semmeln« weggegangen sei, gekauft haben könnte, kann sich dann aber an keine besonderen Kennzeichen, etwa an die abgerundeten Ecken dieser Kastenkamera erinnern: »Vielleicht ist sie doch bei der Agfa-Spezial geblieben...«

Im Fachwerkhaus nahe Kassel knarren die Balken, die Treppe, die Dielen. Doch niemand ist da, der ihr Vorleben ins Bild bringen könnte. Draußen hat der Sommer beschlossen, verregnet zu sein. Darüber will keiner reden, nur über zwei der fünf Hühner, die kürzlich der Marder geholt hat.

Man hat sich bei Lara getroffen. Ihre drei großen Kinder aus erster Ehe sind außer Haus, versuchen, erwachsen zu sein, die beiden kleinen schlafen schon. Laras Mann will sich aus dem, was er »Familienabwasch« nennt, raushalten, sitzt deshalb im Nebenzimmer und ist vermutlich mit den Gedanken bei seinen Bienenvölkern: in Gläsern mit blechernem Schraubverschluß steht Rapshonig als Geschenk für die angereisten Geschwister.

Vorher wurde aus tiefen Tellern kräftiger Eintopf gelöffelt: Rindfleisch mit Schnittbohnen und Kartoffeln zusammengekocht. Noch stehen Bier und Saft auf dem Tisch. Nana will nur zuhören: »Zählte sowieso erst spät dazu.« Deshalb wird Lena, die soeben von Theaterterminen und beiläufig von einem eher labilen Liebesverhältnis Bericht gab, wobei sie szenisch agierte und mit dialogisch gespieltem Geplänkel komisch wurde, von allen ermuntert, endlich »ihr Faß aufzumachen«. Sie zögert nicht, erprobt das Tischmikrofon, sagt »Hallohallo, jetzt spricht Lena« und legt los.

Muß wie im Kino gewesen sein. Lief aber leider ein schlechter Film, auch wenn die Geschichte bestimmt nicht ohne gewesen ist, sogar zeitweilig extrem heiß verlaufen sein wird. Denn soviel kann man annehmen: war Liebe, ganz große sogar, weshalb beide meinten, nicht voneinander lassen zu können. Mein Papa redet ja heut noch von Leidenschaft. Aber als ich grad mal das Laufen gelernt hatte, war er leider schon wieder weg. Weiß deshalb nur, was mir meine Schwestern, die einen anderen Papa hatten, der leider auch weg war, davon erzählt haben, Mieke, die schon immer als besonders vernünftig galt, mehr als Rieke. Beide mochten meinen Papa, selbst wenn er

Sachen gekocht hat – kleingehackte Schweinenieren in Mostrichtunke zum Beispiel –, die Mieke, die sonst alles aß, extrem eklig fand. Muß aber trotzdem irgendwie schön mit ihm gewesen sein in dem großen Haus, das er extra für uns gekauft hatte und das meine Mama als Architektin ganz fachkundig so liebevoll und detailgetreu von oben bis unten erneuern ließ, daß es wie aus früherer Zeit aussah und bestimmt für Innenaufnahmen, sag mal für eine Storm-Verfilmung, »Schimmelreiter«, geeignet gewesen wäre. Hieß Kirchspielvogtei oder das Jungesche Haus, weil vor einigen hundert Jahren, als es gebaut wurde, die ganze Gegend unter dänischer Herrschaft stand und die Dänen einen Kirchspielvogt eingesetzt hatten, und weil viel später der Schiffsbaumeister Junge in dem Haus wohnte, zuletzt nur noch seine Tochter Alma, von der es im Dorf hieß – hat mir alles Mieke erzählt –, sie würde immer noch rumspuken auf dem Dachboden und in der Besenkammer. Jedenfalls soll in dem großen Zimmer im ersten Stock immer mein Papa gesessen und in blanke Kupferplatten seine schrillen Sachen geritzt haben. Zum Beispiel die kaputte Puppe meiner Schwester Rieke, wie sie aus einem aufgeschlitzten Fischbauch rausfällt, extrem breit die Beine spreizt und erstaunt guckt. Oder er hat an seinem neuen Buch, das, wie ihr ja wißt, von einem sprechenden Fisch handelt, weiter und weiter geschrieben, wurde aber leider nicht fertig damit, weil bei ihm oder bei meiner Mama oder bei beiden zugleich ganz plötzlich oder vielleicht erst zögerlich, dann aber extrem heftig die Liebe aufhörte oder zu groß wurde und deshalb irgendwie heißlief… Schade…

Sowas passiert überall.

Bei mir, bei Lara genauso und bei dir auch…

Aber schlimm sind solche Brüche auf jeden Fall, wenn Kinder davon betroffen sind, nicht wahr, Lena?

Besonders ich habe darunter leiden müssen...

Ich etwa nicht?

Sicher, du auch, Taddel. Aber heut sag ich mir: Nö! Schwamm drüber. Habs überlebt. Ihr ja auch. Reden wir lieber vom alten Haus. An die Fußbodenfliesen im großen Zimmer glaube ich mich noch erinnern zu können, vielleicht weil ich auf den Fliesen gekrochen bin oder meine ersten Schritte gewagt habe. Waren gelb und grün glasiert und dort, wo mal der lange schwere Tisch des Kirchspielvogtes seinen Platz gehabt hatte, um den vor mehr als zweihundert Jahren die Dorfältesten saßen, waren rundum die Fliesen so abgetreten, daß sich nur wenig von der farbigen Glasur hatte halten können. Mein Papa, der ja schon immer in alte Häuser vernarrt gewesen ist, soll zu Mieke und Rieke gesagt haben: »Hier um den Tisch rum wurde Pfeife geraucht und beratschlagt, was dringend getan werden mußte: Deiche erhöhen oder ausbessern, weil immer Sturmflut drohte, bei der viele Menschen und Tiere jämmerlich ertranken.« Und dann soll er noch aufgezählt haben, was die Marschbauern und Elbfischer damals an die Dänen an extrem hohen Abgaben zu zahlen und in Naturalien wie Korn, Schinken und Salzheringe zu liefern hatten. Aber leider kann ich mich nicht erinnern, wie du, Lara, auf Besuch gekommen bist mit deinem Hündchen. Auch keine Spur daran, was mir später Mieke und Rieke erzählt haben, wie mein Papa bei einem echten Zigeuner für Lara, aber wohl auch ein bißchen für uns, mit Handschlag ein Pferd gekauft hat, das schon drei Jahre alt war. Doch Mieke, meine große Schwester, wollte nicht reiten. Nö! Wollte sie nicht. Und so stand das Pferd, wenn Lara nicht zu Besuch kam, leider nur im Stall oder auf der Wiese bei einem Bauern und war traurig. Oder meint ihr etwa, Pferde können nicht traurig sein? Na also! Ich hab erst viel später reiten gelernt, als die große Liebe zwischen meiner Mama und meinem Papa längst vorbei gewesen ist und wir in der Stadt wohnten. Aber wie früher du, Lara, war nun ich irgendwie verrückt nach Pferden, was ja oft bei Mädchen in einem bestimmten Alter der Fall sein soll. Fragt mich bitte nicht warum. Hab wohl deshalb später so gerne Ferien auf dem Ponyhof verbracht, genau wie Taddel. Aber du warst dort nicht etwa, um zu reiten, denn eigentlich hast du vor Pferden schreckliche Angst gehabt, sondern um auf uns, die sogenannten Kleinen, aufzupassen. O je! Eine große Klappe hast du gehabt…

Und wenn schon…

Warst streng mit uns. Hast rumkommandiert: »Alle mal herhören! Jetzt spricht Taddel!«

War schließlich verantwortlich für euch, das junge Gemüse.

Aufs Wort mußten wir gehorchen und frühmorgens, wenn noch alle verschlafen waren, laut im Chor rufen: »Guten Morgen, Taddel!«

Kamen jedenfalls schnell aus den Betten, die süßen Kleinen.

Nunja, das sind so Erinnerungen. Aber von dem alten Haus dämmert mir noch etwas anderes, nämlich der alte Kaufmannsladen, den es direkt hinter der Eingangstür gab, die immer – aber das kennt ihr ja – bimmelte, wenn man sie öffnete oder schloß. Und in dem Laden, der leider nicht mehr betrieben wurde, gab es eine Theke ganz aus Holz. Hinter der Theke konnte man hundert Schubladen ziehen, die alle goldgelb angestrichen waren und auf denen vorne Emailleschildchen sagten, was in den Schubladen früher mal vorrätig gewesen ist: Kandiszucker, Gries, Kartoffelmehl, Hirschhornsalz, Graupen, Zimt, Feuerbohnen und wasweißichalles. Weil meine Schwestern mit mir dort oft gespielt haben, soll uns eure alte Marie, die meinen Papa manchmal begleitet hat, wenn er alle zwei Wochen zu uns kam und meistens zwei Wochen blieb, mit ihrer mir später ein wenig mysteriösen Box Fotos von Mieke, Rieke und mir gemacht haben. Auf denen sollen wir bei ihrem nächsten Besuch, als sie viele Abzüge mitbrachte, reichlich komisch und irgendwie märchenhaft ausgesehen haben. Wie aus alten Bilderbüchern gesprungen. In Kittelschürzen und langen Wollstrümpfen. Mit Schleifen im Haar und in Holzschuhen standen wir Kinder vor der Ladentheke und hatten Rotznasen. Und hinter der Theke stand auf den Fotos eine alte Frau, deren weißes Haar zu einem Dutt geflochten war, in dem Stricknadeln steckten. Ganz deutlich soll zu sehen gewesen sein, wie Alma Junge – sie war es nämlich –, von der es im Dorf hieß, sie spuke auf dem Dachboden und in der Besenkammer, meinen Schwestern Rieke und Mieke, aber auch mir, so winzig ich war, Kandiszucker und riesig lange Lakritzstangen verkauft hat. Konnte man sehen, wie wir alle drei an den langen, gewundenen Stangen lutschten. Müssen niedlich ausgesehen haben. Vielleicht kommt es daher, daß ich immer noch ganz verrückt nach Lakritzbonbons bin…

Wie ich absolut auf Nutella steh, weil nämlich unsere Putzfrau, wenn es mir mies ging…

Nö, Taddel, jetzt bin ich dran. Meine Mama aber, die ja die Fotos von eurem Mariechen nicht zu sehen bekommen hat, soll, als Rieke, das Plappermäulchen, ihr davon erzählte, extrem ausgerastet sein und schrecklich geschimpft haben: »Sowas gibts nicht! Spökenkiekerei, reiner Aberglaube ist das! Spukgeschichten!« Naja, zwischen meiner Mama und eurer alten Marie soll es paarmal ganz schön gekracht haben, weil mein Papa unablässig mit ihr zusammenhockte, sie nur auf ihn gehört hat, und er regelrecht abhängig gewesen sein muß von seinem Mariechen und ihrer Box, mit der sie Exklusivfotos nur für ihn gemacht hat, die er angeblich für sein Buch benötigte, na, ihr wißt schon: Bilder aus der Steinzeit, der Völkerwanderung, dem Mittelalter und so weiter durch die Jahrhunderte bis in sein gegenwärtiges Durcheinander, wobei ihm, bei seinem typischen Hang zu Männerphantasien, zu jeder »Zeitweil«, wie er das nannte, immer neue Frauen und die für ihn so typischen Frauengeschichten einfielen, bis er nicht weiterkam, einfach nicht fertig wurde.

Ist aber später ein Bestseller geworden...

Und eine Zeitlang haben sogar die Zeitungsfritzen Ruhe gegeben...

Nur paar Emanzen haben gezetert, weil nämlich...

Laßt bitte Lena weitererzählen, warum »Der Butt« nicht fertig werden konnte.

Nun, weil es zwischen meinem Papa und meiner Mama, so leidenschaftlich sie sich geliebt haben mögen, immer mehr Probleme und extrem Gegensätzliches gegeben hat, muß es zwischen ihnen äußerst heftig zugegangen sein. Dabei nahm ihre Liebe leider mehr und mehr Schaden, weshalb mein Papa dann eines Tages mit seinem unfertigen Manuskript unterm Arm das Weite suchte, einfach weg war und leider nicht mehr zu uns zurückfand. Weiß nicht, wer mehr Schuld daran hatte. Nö! Will nicht wissen, wer. Bringt sowieso nichts, die leidige Schuldfragerei. Aber manchmal, Lara, frage ich mich doch: Vielleicht war es nur so, daß meine Mama von ihrem Naturell her Streit nicht schlimm, sondern natürlich fand, während mein Papa keinen Streit aushalten konnte, jedenfalls nicht zu Hause, wo er unbedingt Ruhe brauchte und sich oft extrem harmoniesüchtig aufgespielt haben soll. Leid tut es mir schon um beide, auch wenn ich wiederholt erfahren mußte, daß die Liebe nur selten ein Dauerbrenner ist, und ich heute in Stücken auftrete, in denen permanent scheinbar feste Bindungen brüchig werden. Das Theater lebt nun mal von Krisen, dem sogenannten Geschlechterkampf...

Wovon unser Pat ein Liedchen singen kann, stimmts, Atze?

Genau wie Lara...

Das steht hier nicht zur Debatte! Nur was mit uns Kindern...

Los, Lara, mach schon! Du bist jetzt dran.

Weiß gar nicht, wo anfangen bei all dem Durcheinander oder Kuddelmuddel, wie die alte Marie gesagt hat, als unser Väterchen immer häufiger und dann ziemlich bedripst ganz und gar zurückkam und unsere Mama bestimmt nicht gejubelt hat, als er plötzlich dastand und sagte: »Hallo, hier bin ich wieder!« Begann sich dann unterm Dach ähnlich wie vorher, doch diesmal nur provisorisch einzurichten. Sah traurig aus, wie er da oben hockte und in seinen Papierstapeln rumblätterte. Ging auch auf Dauer nicht gut, weil unsere Mama unten mit ihrem jungen Mann lebte, dem unser Väterchen geholfen hatte, aus dem Ostblock, direkt aus Rumänien rauszukommen, und der nun als ihr Geliebter... Zwar ist das Haus raummäßig groß genug für alle gewesen, denn Pat wohnte schon lange bei seiner Freundin mit Kind, und Jorsch steckte meistens unten im Keller, war aber dann bald in Köln, wo ihm unser Väterchen eine Lehrstelle besorgt hatte. Nur noch Taddel und ich blieben übrig. Der aber trieb sich mit seinen Freunden rum und lief nur noch, glaub aus Protest, mit offenen Schnürsenkeln durch die Gegend. War nun mal so. Lebte sich schwierig. Alle unter einem Dach, auch wenn mein Väterchen manchmal Sprüche drauf hatte, an die er womöglich selber geglaubt hat: »Kümmert euch nicht um mich. Bin mucksmäuschenstill da oben. Muß was zuende bringen. Dauert nicht lange...«

War ja gut, daß er was in der Mache hatte.

Wär sonst durchgedreht womöglich.

Aber wegen Lena hätte er auch zurückkehren können, oder?

Nö, war Schluß und vorbei. Außerdem weiß ich nicht, ob meine Mama das einfach so weggesteckt hätte: Hallo, da biste ja wieder!

Vielleicht doch, Lena. Denn einmal war deine Mutter, aber ohne dich, bei uns zu Besuch, um sich, wie sie gesagt haben soll, mit unserer Mutter mal gründlich, von Frau zu Frau auszusprechen. Und stellt euch vor: unser Väterchen hat sogar, was er schon lange nicht mehr gemacht hatte, irgendwas Fischiges für die beiden und für sich gekocht, aber auch für die alte Marie, die für ihn als Verstärkung dabei war. Denn deine und meine Mutter haben nur ihn und seine Probleme behandelt, na, daß er eigentlich ganz nett sei, »fürsorglich«, sagten beide, aber leider einen ausgeprägten Mutterkomplex habe oder ähnliches. Und daß man unbedingt – so hat es mir später die alte Marie erzählt – was dagegen tun müsse, damit das endlich aufhöre: sein komplexmäßiges Verhalten und sein konflikt-scheues Weglaufen und so weiter. Aber mein Väterchen soll sich bockbeinig angestellt haben. Wollte nicht, wo sie ihn hinschicken wollten...

War aber trotzdem was dran, könnt man meinen.

Müssen ihm ganz schön zugesetzt haben, seine starken Frauen...

...und zwar zweistimmig.

Der Arme!

Ach so! Jetzt tut er euch auch noch leid.

Anfangs hat er nur zugehört, aber dann soll er »Mich kriegt ihr nicht auf die Couch!« gerufen haben und richtig frech geworden sein, so daß beide Frauen zusammenzuck-ten, als er laut schrie: »An meinem Mutterkomplex ver-diene nur ich!« Und schob dann noch, als die Frauen ein Weilchen stillhielten oder mit Fischgräten beschäftigt waren, einen heftigen Spruch nach: »Und auf meinem Grabstein wird gemeißelt stehen, ›Hier liegt unbehandelt mit seinem Mutterkomplex.‹« Doch eigentlich, Lena, wollte deine Mutter nur, was ja verständlich war, ihn wie-der zurückhaben aufs Land und zu euch. Und unsere Mutter hätte bestimmt nichts dagegen gehabt, weil mein Väterchen, selbst wenn er ganz still unterm Dach hockte, gestört hat, zumal sie mit ihrem jungen Mann, der, rein charaktermäßig, nicht einfach gestrickt war, genug Proble-me hatte. Jedenfalls gelang es der alten Marie, während die beiden Frauen noch über unser Väterchen hinweg des-sen Mutterkomplex beredeten, paar Schnappschüsse zu knipsen, »auf die Schnelle«, wie sie sagte, »von der Tisch-kante weg«. Was aber davon in ihrer Dunkelkammer raus-gekommen ist, hat sie keinem gezeigt.

Kann man nur raten, was...

Wetten, daß unser Vatti ausgestreckt auf einer Couch lag, und daneben konnte auf einem Stuhl als Psychiater Mutters Liebhaber erkannt werden?

Klar, der hatte ja sowas zu studieren begonnen...

...und hat deshalb versucht – auf dem Foto, mein ich –, meinen Vatti zum Reden zu bringen, na, wie er als kleiner Junge schon seiner Mama lauter Lügengeschichten erzählt hat...

Was er am liebsten heute noch tut.

Sekunde mal, jetzt erinnere ich mich genau an das, was unser Väterchen für deine und meine Mutter gekocht hat: war ein Butt, mit Fenchel gedünstet. Und sein Buch, für das er noch lange kein Ende fand, hieß dann auch nach dem Fisch, den er gedünstet hatte...

Und in dem Buch steht was ähnliches, na, wie sich zuerst zwei, dann immer mehr Frauen über einen Mann aussprechen und dabei...

Jedenfalls blieb er oben hocken oder stand vorm Steh-pult und tippte auf seiner Olivetti, selbst wenn es eine Zeitlang hieß: »Endlich! Jetzt sucht er sich endlich eine Wohnung.« Aber darin waren sich mein kleiner Bruder und ich, selbst wenn wir oft Zoff hatten – stimmts, Taddel? – ziemlich einig: »Er stört doch keinen, wenn er da oben hockt.« Und zu meiner Mama hab ich gesagt: »Wenn Väterchen gehen muß, geh ich auch.«

Weiß ich nicht mehr. Weiß nur, daß dicke Luft war. Und daß irgendwann Lenas Mutter mit ihren Töchtern vom Haus im Dorf weg wieder in die Stadt zog. Stimmt, ich lief damals immer mit offenen Schnürsenkeln rum, so daß ich manchmal drauftrat und am Perelsplatz oder sonstwo in den Matsch fiel. Rief »Scheiße Scheiße!« War zum Davon-rennen. Kümmerte sich ja keiner um mich. Nur bei meinem Freund Gottfried, in der Hausmeisterwohnung um die Ecke, gings mir einigermaßen. Und unsere Putzfrau hat mir manchmal Stullen mit Nutella geschmiert. Nicht mal die olle Marie konnte mir helfen. Hat immer nur »Achachach« gestöhnt, doch mich mit ihrem halbvergammelten Kasten knipsen, kam nicht in Frage. »Son Kuddelmuddel hält selbst meine Box nicht aus. Macht Pause«, hat sie gesagt. Und mein Vatti war, wenn er nicht oben bei sich versauerte, angeblich auf Suche nach einer passenden Wohnung. Fand er aber nicht, dafür eine neue Frau und später, angeblich bei einer Geburtstagsfete, wieder eine andere, die dann aber endlich für ihn die richtige war...

Da wird sich Mariechen gefreut haben.

Genau, Atze! Weil sie für diesen Typ Frau schon damals, als die Mauer gebaut wurde, einen Riecher gehabt hatte...

...und sich deshalb extra für Vater am Checkpoint Charlie hingestellt hat mit ihrer Box, als die Blondgelockte mit nem falschen schwedischen Paß...

...und nem Italiener als Fluchthelfer...

...und zwar in einem Alfa Romeo...

Ihr spinnt absolut, alle beide. Außerdem war es noch lang nicht so weit. Zwischendurch nämlich, na, wenn sich mein Vatti nicht grad bei der einen oder der anderen Frau aufhielt, durfte er ab und zu dich, die kleine Lena, bei ihrer Mutter auf zwei Stunden abholen. Warst absolut niedlich mit deinen Mauseaugen. Hattest eine ganz helle piepsige Stimme und hast gerne gesungen oder geweint. Oben bei meinem Vatti haste gesessen und mit Knöpfen gespielt, die ich extra für dich aus Pats Knopfladen geholt hatte, damit es für dich was Buntes zum Spielen gab, während mein Vatti immer mehr Papier vollgekritzelt hat, weil er endlich sein Buch zuende bringen wollte. Denn Spielen mit dir, Lena, war nicht drin bei ihm.

Auch mit uns hat er, als wir noch klein waren, nie richtig gespielt.

Kannste glauben, Lena.

Du auch, Nana. Oder hat er mit dir etwa?

Aber von dem Buch, das nicht fertig wurde, hat er erzählt, wie es märchenmäßig von einem Fisch handeln würde, der sprechen konnte, und von dem Fischer seiner Frau, die immer mehr und noch mehr haben wollte…

Klar, Geschichten erzählen konnt er…

…aber wie andere Väter mit ihren Kindern spielen, da hat er keinen Bock drauf gehabt.

Na und? War einfach kein Spielvater.

Jedenfalls wurde irgendwann das Haus geteilt.

Aber erst, als er schon die Mutter von Jasper und Paulchen ganz für sich hatte, die für ihn, was Mariechen vorausgewußt hat, die Richtige gewesen ist.

Nur lief zwischendurch noch was anderes, von dem wir erst später, viel zu spät erfahren haben.

Muß nun wirklich auch darüber…

Haben wir damals nicht mitgekriegt, ehrlich, Nana. Ich mein die Geschichte zwischen unserem Vater und deiner Mutter.

Soll schon angefangen haben, lange bevor das Haus geteilt wurde.

Zwischen der einen und der nächsten noch zwischendurch ne andere…

Hat echt nicht richtig getickt, der Alte!

Mußte verstehen, Taddel, selbst wenn es schwerfällt. Die beiden, ich mein jetzt die Mutter von Nana und unser Väterchen, hatten Kummer, jeder seinen. Und so, rein kummermäßig, sind die beiden sich näher, immer näher gekommen.

Und das Ergebnis von soviel Kummer soll ich sein?

Auch sowas ist Liebe!

Wenn man dich anguckt, Nana, bist doch rundum gelungen...

Alle lieben dich!

Mußt nicht mehr weinen... Na also!

Jedenfalls wurde, und zwar, weil ich gesagt hatte, wenn Vater hier raus muß, geh ich mit, das Haus einfach geteilt. Er bekam den kleineren Teil links von der Treppe und oben seine Höhle. Dazu die Kammer als Küche und darunter das Zimmer mit Duschbad, das vorher Elternschlafzimmer gewesen ist, und darunter sein Büro, in dem die Sekretärin saß und seine Briefe tippte. War bestimmt die beste Lösung. Aber meine Freundinnen haben beide gespottet: »Ist ja brutal! Wie die Berliner Mauer, mitten durchs Haus durch. Fehlt bloß noch Stacheldraht.«

Und in unseren Teil wurde ne Wendeltreppe eingebaut für die Zimmer darüber.

Ging wohl nicht anders und sollte, mein ich, im Prinzip verständlich sein, weil eure Mutter nach all dem Durcheinander bestimmt ungestört sein wollte mit ihrem jungen Freund, den sie nun mal geliebt hat...

War so. Der aber saß nun da, wo früher mein Vatti in der Küche gesessen hatte, wenn er für uns ganze Hammelkeulen mit Knoblauch und Salbeiblättern spickte. Und in unserem Peugeot saß nun er neben meiner Mama, die am Steuer saß, weil er nämlich, genau wie mein Vatti, keinen Führerschein...

Zum Trost bekam unser Väterchen dann noch den Hinterhofgarten dazu, der aber inzwischen völlig verkrautet war.

Weiß noch, wie wir vom Küchenfenster aus zugeguckt haben, wie er allein den Garten umgegraben hat…

Bin richtig erschrocken gewesen, als wir ihn so in Schweiß sahen, denn in Gartenarbeit war er ungeübt. Hat sich dann auch noch fette schwarze Erde liefern lassen und mit einer Schubkarre durchs Treppenhaus bis nach hinten gekarrt. Deine Freunde, Gottfried und noch einer, haben ihm dabei geholfen. Und beim Umgraben hat er all die Matchboxautos gefunden, die du früher deinen Brüdern geklaut hattest, nur um sie zu verbuddeln.

Und mit den ausgegrabenen Autos sollte dann die kleine Lena spielen, aber du hast lieber mit Pats bunten Knöpfen… Oder abwechselnd gesungen oder geweint…

Anfangs hab ich gedacht: jetzt ist er echt durchgedreht, weil er sowas nie gemacht hat, Gartenarbeit und so. Aber vielleicht hab ich auch gedacht: jetzt läßt er seine Wut raus. Oder er gräbt aus Freude, weil er endlich eine Frau gefunden hat, bei der er sein Buch zu Ende schreiben kann. Denn das ist für ihn sowieso die Hauptsache gewesen. Und als dann noch die alte Marie dazukam und unser Väterchen beim Gartenumgraben mit ihrer Wünschdirwasbox von allen Seiten geknipst hat, da hab ich gedacht, jetzt kriegen wir zu sehen, wie es zukunftsmäßig mit ihm weitergeht: mit der einen oder der anderen Frau. Aber uns hat sie keins von den Fotos gezeigt. Und als ich danach gefragt hab, hat sie nur gesagt: »Denkste, Puppe! Das bleibt mein Dunkelkammergeheimnis.«

Irgendwann kam dann die Scheidung.

Hat aber keiner von uns richtig mitbekommen, weil die beiden das auf ihre Art, nämlich lautlos…

Nur Anwälte sollen dabeigewesen sein und – klar doch! – Mariechen, die immer dabeigewesen ist, wenn mit Vater was Besonderes im Gange war.

Hab erst später davon gehört, daß Halbehalbe gemacht wurde, ganz friedlich...

Gab jedenfalls keinen Streit um irgendwas.

Die beiden stritten ja nie.

Hab manchmal gedacht: egal worüber, hätten sie sich doch mal richtig laut, mit Tellerschmeißen und so. Vielleicht wären sie dann immer noch...

Nur uns gäb es nicht, Nana und mich.

Mußte wohl sein, die Scheidung, weil Vater unbedingt...

Dann aber – nun paß auf! –, als er und seine neue Frau mit Jasper und Paulchen schon auf dem Land lebten, und zwar genau in dem alten Haus, in dem er schon vorher mit Lenas Mutter und Lenas Halbschwestern Mieke und Rieke ne Zeitlang gelebt hatte, und wo nun mit nem Haufen Gäste richtig doll Hochzeit gefeiert wurde, hat deine Mutter dich, die kleine Nana, auf diese verrückte Welt gebracht...

Da hatte die alte Marie mal wieder Grund, von Kuddelmuddel zu reden.

Und immer erfuhr man alles, wenn überhaupt, erst hinterher, scheibchenweise...

Vielleicht gibts noch mehr Kinder irgendwo...

Nö, fand ich gar nicht gut, daß mein Papa mir erst viel viel später gebeichtet hat, daß ich eine kleine Schwester, die Nana heißt...

...auf Sizilien zum Beispiel, wo er, als er noch jung war...

Weil er mich schonen wollte, hat er gesagt.

...und wovon nicht mal Mariechens Box ne Ahnung hatte.

Hab nur ganz langsam begriffen, wie viele Kinder es außer mir gab, was ja im Prinzip schön war, wär sonst als

Einzelkind aufgewachsen und hätt mich bestimmt viel häufiger allein gefühlt, so aber...

Soll also nur halb so schlimm sein, wie unser Vatti das hingekriegt hat, oder was?

Jadoch, was solls! Paar mehr oder weniger.

Nun zählten noch Jasper und Paulchen dazu.

Ihr kommt gerade rechtzeitig. Wir sind nämlich inzwischen bei euch angelangt, auf dem platten Land.

Verstehe. Kann man so sehen und ist schon okay, wie ihr euch das zurechtlegt. Jedenfalls war ich, als dann Taddel zu uns ins Dorf kam, nicht mehr der Älteste.

Ich aber soll geweint haben, als Taddel mir sagte: »Eure Mutter ist nun auch geschieden und kann jetzt meinen Vatti heiraten.«

Doch nicht nur Paulchen, auch ich mußte damals extrem viel weinen. Hab oft gebarmt, so daß mich Mieke und Rieke trösten mußten...

Ging mir ähnlich, nur daß ich einen Ersatzvater hatte, der zwar nur unregelmäßig mein Mütterchen besuchte, aber immer da war, wenn ich, weil Weihnachten bevorstand oder mein Geburtstag, ganz traurig wurde und eigentlich weinen wollte, wie jetzt schon wieder, aber nur, weil Lena und Paulchen damals geweint haben und mir sowieso ganz schnell die Tränen...

Da haben wirs!

Und alles, weil unser armes Väterchen so lang hat suchen müssen...

Hör wohl nicht richtig. Schon wieder Mitleid mit ihm!

Hast ja recht, Lena. Bin damals auch ziemlich sauer gewesen, zumindest ne Weile, selbst wenn das bestimmt nicht langweilig war, was da ablief, familiär mein ich. Aber was solls, hab ich mir gesagt. Waren jedenfalls immer starke Frauen, mit denen er zu tun hatte, alle vier oder sogar fünf, wenn man Mariechen dazuzählt. Viel später, als sie wien Strich aussah, so zum Wegpusten, oder wie Vater sagte, »unser Mariechen ist nur noch ein masurisches Handchenvoll«, hat sie mir nen Stapel Fotos gezeigt, auf denen alle Frauen drauf waren, jede einzeln, aber alle stark, jede auf ne besondere Art. War damals schon Ökobauer auf einem Hof in Niedersachsen und politisch bei den Grünen. Da hab ich, als ich paar Tage freikriegte, unser Mariechen mal kurz in ihrem Berliner Atelier besucht, wo sie nur von Pellkartoffeln und saurem Hering gelebt hat. Ging ihr nicht gut, hat sich aber gefreut und »Paß auf, Pat«, gesagt, »jetzt zeig ich dir was, da machste Augen!« Dann verschwand sie in ihrer Dunkelkammer, und ich hab gewartet, auch wenn ich eigentlich längst weg sein und Freunde in Ostberlin besuchen wollte, weil dort... Aber als sie dann rauskam aus ihrer Dunkelkammer, hab ich wirklich Augen gemacht. Ein ganzer Packen Abzüge, alle sechsmalneun, und auf allen war zu sehen, was sich Vaters Frauen womöglich gewünscht haben. Wird aber eher so gewesen sein, daß er sich seine Frauen so gewünscht hat, jede anders stark. Jedenfalls konnt ich auf den ersten Fotos von dem Packen unseren Vater und meine Mutter erkennen, als sie noch jung waren. Klar, haben getanzt auf den Fotos, aber nicht auf normalem Fußboden oder ner Wiese oder sonstwas Festem, nein, über wattige Wolken weg. Sah aus wien Tango oder sonst was Schräges...

Rock'n'Roll vielleicht...

Am liebsten haben die beiden nen Blues aufs Parkett gelegt...

...immer wenn ne Dixieband spielte.

»Hab ich geknipst, als die beiden sich scheiden ließen«, sagte Mariechen. »Hochzeitsfotos kann jeder machen, aber ein vergnügliches Scheidungsfoto, wie das hier, mit Rückblick auf frühere Zeiten, als alles leichtfiel, und beide meinten, vor lauter Liebe und Tralala fliegen, sogar auf Wolken tanzen zu können, sowas kriegt nur meine Box hin. Die erinnert sich an alles, sogar an Haarspangen – siehste hier! –, verloren beim Tanz.« Dann hat sie, wie immer, wenn sie wütend war, ein verkniffenes Gesicht gemacht und gesagt: »Hab ich den beiden nicht gezeigt, ihren Wolkentanz. Waren geschieden und fertig mit sich.« Naja, bin mir nicht so sicher, ob Vater und Mutter schon mit sich fertig waren. Aber was solls! Das Leben geht weiter. Auf den nächsten Fotos aus dem Packen, den Mariechen aus der Dunkelkammer geholt hatte, war was drauf, das wie aus nem Stummfilm aussah. Oder eher wie ne Szene aussem Western. Vater lehnte mit blutigem Kopfverband an einem Wagenrad von nem typischen Planwagen, mit dem damals die Siedler loszogen – Go West! – immer weiter. Sah mit offenem Mund wie tot aus. Und neben ihm stand kerzengerade, schön groß und blond mit nem Gewehr vor der Brust – ungelogen! – Lenas Mutter mit wehendem Haar. Machte ganz schmale Augen, als würde sie die Prärie bis zum Horizont hin nach Indianern absuchen, Comanchen womöglich…

Nö! Glaub ich nicht. Meine Mama, die schnell auf den nächsten Stuhl springt, wenn nur ein Mäuslein über die Dielen huscht…

War sie aber. Stand da wie der letzte Mann. Und unter der Wagenplane guckten verängstigt ihre Töchter vor, Mieke und Rieke, dazwischen du, die kleine Lena. Alle drei hattet ihr altmodische Häubchen auf. Aber trotzdem war zu sehen, daß ihr strohblond wie eure Mutter gewesen seid, Lena bißchen dunkler, weil... Und im Vordergrund lagen auf den Fotos mindestens fünf tote Indianer rum. Naja, vielleicht wär deiner Mutter doch sowas zuzutrauen gewesen. Vater hätte mit ihr durch dick und dünn gehen können, wollte er aber nicht. Und Mariechen sagte, als sie die Fotos mit dem Indianerüberfall wieder geordnet und unter den Packen geschoben hatte: »Mit der hätte euer Vater Pferde stehlen können. Aber er bestand darauf, Pferde zu kaufen. Hat er ja dann auch gemacht.«

Nur eins für Lara. Soll hübsch ausgesehen haben, wenn du auf Nacke durchs Dorf geritten kamst...

Und mein Joggi brav immer hinter uns her...

Doch das könnt ihr mir glauben, du auch, Nana. Auf der dritten Serie aus dem Packen Fotos gings noch ne Spur verrückter zu. Da hättet ihr unseren Vater bewundern können: mit ner Matrosenmütze auffem Kopp. Sah wien Revoluzzer von anno dazumal aus. Und neben ihm stand lachend und mit zerzaustem Haar dein Mütterchen. Ungelogen: sie und er. Und keine Spur Kummer. Zeigten beim Lachen alle Zähne. Standen beide hinter ner Barrikade. Fanden das anscheinend lustig. Hatten Patronengurte um den Hals und ein Maschinengewehr aussem Ersten Weltkrieg, mit dem sie auf einem anderen Foto auch gezielt und womöglich geschossen haben. Und links von ihnen wehte eine Fahne, nehm an, ne rote. Waren ja nur Schwarzweißfotos, die Mariechen mir zeigte. »Hier in Berlin ist sowas passiert, als Revolution war«, sagte sie. »Glaub ich nicht«, hab ich gesagt. Keiner, selbst ne starke Frau nicht, wie die Mutter von Nana eine ist, hätt unseren Vater auf ne Barrikade gekriegt. Der hat mit Revolution nie was am Hut gehabt. War immer nur Reformist. Da hat Mariechen gekichert: »Aber vielleicht hat sich die Mutter von eurem Schwesterchen Nana sowas gewünscht, und euer Vater auch ein bißchen. Ihr wißt ja, meine Box erfüllt Wünsche.«

In Wirklichkeit ist mein Mütterchen ganz anders. Ihr kennt sie doch, Pat, Jorsch und du, Lara. Immer hat sie nur mit Büchern zu tun, die von anderen geschrieben wurden und die sie mühsam verbessern muß, Satz für Satz…

Trotzdem, Nana, kann sie sich doch zumindest heimlich und rein wunschmäßig nur…

Ach was! Sowas kann nur Vater sich ausgedacht haben.

Aber das dollste Stück hat sich Mariechens Wünschdirwasbox mit der vierten Serie in dem Packen Fotos geleistet. Da sieht man einen richtigen Zeppelin von mittlerer Größe festgezurrt am Landemast auf einem Flugplatz. Und vor der Kabine, die ziemlich geräumig ist und viele Fenster hat, stehen, wie zum Gruppenfoto aufgestellt, unser Vater und eure Mutter, die nen halben Kopf größer als er ist. Vor ihnen steht ihr: Jasper und unser Taddel. Und vor den beiden hockst du, Paulchen, als der Jüngste. Aber die Kapitänsmütze trägt nicht etwa unser Vater, nein, seine zweite Frau ist der Kapitän von dem Zeppelin.

Absolut logo, weil mein Vatti nicht mal radfahren kann und Auto schon gar nicht.

Darf man also annehmen, daß er es geschafft hat, eure Mutter zu überreden, den Flugschein für Luftschiffe von mittlerer Größe zu machen?

Zutrauen würd ich ihr sowas.

Außerdem ist es schon immer Väterchens Wunsch gewesen: keinen festen Wohnsitz haben und mit einem Zeppelin, der für ihn und seine Siebensachen – Stehpult und so –, dazu noch für seine Familie groß genug ist, damit er mal hier, mal da landen, rein ortsmäßig unabhängig, also immer unterwegs sein kann und nie...

Genau deshalb hat ihm die alte Marie seinen Wunsch erfüllt: ne starke Frau am Steuer, und er kann tun, was er grad in der Mache hat...

...und was ihm Spaß bringt obendrein...

»Euer Vater ist immer gern woanders und weranders«, hat sie gesagt. Geht mir genauso. Muß ich von ihm haben. »Sag mal«, hab ich Mariechen gefragt, als sie den Packen Fotos wieder in ihre Dunkelkammer bringen wollte, »gibts denn keine Fotos von dir mit Vater? Ich mein solche aufs Stichwort Wünschdirwas?« Da hat sie erst lange geschwiegen, und dann bekam ich zu hören: »Das reicht doch, dein Vater und seine Weiber! Für mich hieß es immer nur, denkste Puppe. Mußte immer nur draufhalten, wenn er sich was Besonderes wünschte. Durfte hinterher in die Dunkelkammer verschwinden. Das wars! Geschissen, mein Täubchen! Für euren Vater bin ich immer nur sein Knipsmalmariechen gewesen, mehr gabs für mich nie.«

Mann, muß die Alte sauer gewesen sein.

Vielleicht ist sie doch seine Geliebte gewesen, irgendwann zwischendurch.

Bin dann weg von ihr, ab nach Ostberlin, Prenzlauer Berg, weil dort nämlich...

Wer weiß, was wir sonst noch alles nicht wissen...

...und was die alte Marie hat knipsen müssen...

...damit unser Väterchen rein berufsmäßig...

...so daß man später, wenn man das las, nie genau wußte, was ist nun wahr davon...

Womöglich sind auch wir, wie wir hier sitzen und reden, bloß ausgedacht – oder was?

Das darf er, das kann er: sich ausdenken, einbilden, bis es da ist und Schatten wirft. Er sagt: »Euer Vater hat das von früh an gelernt.« Und doch wissen wir, liebe Lena, daß unser Leben nicht nur auf der Bühne stattfindet. Weißt du noch, wie wir den Westen weit hinter uns ließen, als überall, weil es im Mai war, der Flieder blühte, und wir immer weiter in Richtung Osten fuhren, und ich dich vor Beginn unserer Reise ins Polnische bat, dein auffälliges Zubehör, diverse Schmetterlinge und Vögelchen, aus deinem zu Nestern geflochtenen Haar zu lösen, weil zuviel bizarrer Kopfschmuck die uns verwandten Kaschuben erschrekken könnte? Schade, daß Mariechen nicht dabei war, als wir zwischen Onkel Jan und Tante Luzie auf dem Sofa vor dem Herzjesubild saßen und du die Schweinekopfsülze nicht essen wolltest. Ach, war ich stolz auf meine Tochter, die soviel Eigensinn...

Aber dich, Nanakind, hat sie selbst dann mit ihrer Box eingefangen, wenn ich nicht bei dir sein konnte, doch in Gedanken dichtbei deine Hand hielt, die ganz in meiner verschwand. Mariechen kannte ja unsere Wünsche. So konnte ich dennoch dir nah sein, wenn du wieder mal den Wohnungsschlüssel oder dein Kleingeld verloren hattest. Ich half dir suchen: dein Schulweg war lang. Kalt, sagte ich, wärmer, warm warm, heiß... Und manchmal fand sich mehr, als verlorengegangen war. Unser Vergnügen an Fundsachen.

Gelacht und geweint haben wir zusammen. Man hätte sehen können, wie wir durch den Tiergarten liefen oder im Zoo Hand in Hand bei den Affen standen. Jedenfalls war ich häufiger bei dir, als abgezählt nachzuweisen wäre. Die vielen Schnappschüsse unserer Glücksmomente. Ach, gäbe es doch noch all die Bildchen im Sechsmalneunformat, auf denen wir beide...

Aus rückläufiger Sicht

Heute hockt nur die Hälfte der Kinder beisammen, doch später, gleich nach St. Paulis Heimspiel gegen Koblenz, wird sich Taddel dazusetzen. Lena, auf Durchreise, ist mit dabei. Und Lara, die ja mit Zwillingsbrüdern aufgewachsen ist, zudem Zwillinge großgezogen hat, meint, daß es guttäte, mal ohne... Pat ochse für eine Prüfung, und Jorsch sei verhindert, weil er seit Wochen für eine Krimiserie den Ton mache. Von Nana heißt es: sie müsse in Eppendorf Babys holen und sei sowieso nicht an der Reihe, wünsche aber allen Geschwistern einen weniger schmerzlichen Abend als beim letzten Treffen, als nur frühes Leid Thema gewesen sei.

Sie sitzen in der Wohnküche. An freien Wänden hängt Kunst dieser Tage. Da es vor allem um dörfliches Zusammenleben gehen soll, hat Jasper eingeladen, der seit gestern aus London zurück ist, wo die Finanzierung eines Filmprojekts auf der Kippe stand. Paulchen kann dabeisein, weil eine ohnehin geplante Reise von Madrid aus, wo er mit seiner zierlichen Brasilianerin lebt, vorverlegt werden konnte. Jaspers Frau, die sich als Förderin gegenwärtiger Malerei, zudem als bekennende Mexikanerin gibt, war gerade noch bemüht, beide Söhne zu Bett zu bringen. Jetzt hat sie etwas Scharfes auf den Tisch gestellt: Hackfleisch mit Chili und schwarzen Bohnen gekocht. Betont ernst und bemüht, nur andeutungsweise Frida Kahlo zu gleichen, überblickt sie die aus ihrer Sicht »sehr deutsche«

Tischgesellschaft und sagt: »Haltet nicht Gericht über euren Vater. Seid froh, daß es ihn noch gibt.« Dann geht sie deutlich ab. Alle schweigen, als müsse der Nachhall letzter Worte verklingen. Nun erst sagt Paulchen zu Jasper: »Fang du an.«

Okay. Einer muß ja. Also Paulchen und ich nannten unsere Mutter Kamille. »Kamille, darf ich?«, »Kamille, hör mal!« Ich soll auf den Namen gekommen sein, weil Kamille, die ja Arzttochter ist, alles heilmachte und überall, sogar auf der dänischen Insel, wo wir jeden Sommer waren, alle möglichen Heilkräuter, besonders Kamille gepflückt und in Sträußen getrocknet hat. Für Tee oder heiße Umschläge war das Kraut gut. Ist nicht bloß ne Redensart: Kamille hilft immer! Deshalb hieß sie schon in der Stadt so, wo wir mehr außerhalb, am Fuchspaß, wohnten und wohin unser Vater nur noch manchmal zum Frühstück kam, was okay war, weil Kamille und er schon lange keinen Streit mehr hatten. Der neue Mann aber, der eines Tages bei uns auftauchte, nannte unsere Mutter nicht Kamille, sondern hängte an ihren richtigen Namen immer ein »chen« ran.

Und später hat er »Liebchen« oder »meine Liebste« zu ihr gesagt, was uns ziemlich peinlich gewesen ist.

Für mich sah er echt wien alter Mann aus, auch wenn er noch keine fünfzig war. Paulchen und ich nannten euren Vater nur »der Alte«, selbst dann noch, als er uns vorschlug, einfach von seinem Vornamen Gebrauch zu machen. Sah aus wien Walroß mit seinem Schnauz. Hab ich aber nicht laut gesagt, denn eigentlich fanden wir ihn okay. Für dich, Paulchen, war das anfangs nicht leicht, weil du – war doch so –, wenn du nachts wach wurdest, immer zu Kamille ins Bett gekrochen bist. Da lag nun aber immer öfter der Alte, das Walroß. Und dann hat er noch ne alte Frau angeschleppt und »das ist Mariechen« gesagt. Als Erklärung dafür kam nur soviel: »Mariechen ist eine besondere Fotografin, weil sie eine altmodische Kastenkamera besitzt, die Agfa-Box heißt und im Krieg Bomben, Feuer und Wasserschäden überlebt hat, seitdem aber nicht richtig oder auf andere Art tickt, weshalb sie allsichtig ist und ganz außergewöhnliche Bilder macht.« Und dann hat er noch gesagt: »Mariechen knipst für mich, was ich grad brauche oder mir wünsche. Bestimmt tut sie das auch für euch, wenn ihr mal einen besonderen Wunsch habt.«

Wir nannten sie Marie...

Taddel auch olle Marie.

War jedenfalls von nun an unsere Marie.

Hab anfangs echt Schiß vor der Alten gehabt. War mir unheimlich, als ob ich geahnt hätte, daß sie mir später mal, wegen einer äußerst peinlichen Sache, mit ihrer Box auf die Schliche kommen würde...

Was war denn so extrem peinlich, Jasper?

Ja, los. Erzähl schon...

Red nicht gern drüber. Wirklich nicht. Mein kleiner Bruder aber – stimmts, Paulchen? – fand Marie ganz okay. Hat nur gestaunt, wenn sie ihn mit ihrer unmöglichen Kastenbox am Gartenzaun oder vor unserem Reihenhaus geknipst hat.

Und als wir dann mit Kamille und ihrem Mann von der Stadt weg aufs Land zogen, war das für mich genauso in Ordnung, wenn sie auf Besuch kam und ihre Apparate mitbrachte, nicht nur die Agfa-Box. Dort wohnten wir nun in dem großen Haus, das Lena schon kannte und in

dem man sich überall verstecken konnte. Roch total alt-
modisch. Gab sogar sowas wie Schlafschränke, Alkoven,
von früher. Und nach vorn, zur Dorfstraße hin, gabs, was
euch bestimmt schon Lena erzählt hat, einen Kaufmannsladen, auch von ganz früher. Und der neue Mann von
unserer Mutter – ich meine deinen Papa, Lena –, der sich
oben in dem großen Zimmer mit den grüngelben Fußbodenfliesen eingenistet hatte, wo er dann gleich mit seinem
Kram beschäftigt war, hat für uns ganz merkwürdige
Sachen gekocht, nämlich Schweinepfoten, Hammelnieren,
Rinderherzen und Kalbszungen. Hat aber, meint Jasper,
nicht mal übel geschmeckt. Und beim Fischhändler im
Dorf – Kelting hieß der, war bißchen bucklig, doch total
nett – hat er nicht nur Sprotten und andere Räucherfische,
sondern auch Aale gekauft, die noch lebendig und glit-
schig waren.

Wenn aber der Alte die lebenden Aale, jeden einzeln, zu
fassen kriegte, was schwierig sein konnte, hackte er ihnen
erstmal, zack, den Kopf ab und säbelte dann den langen
Rest, der noch zuckte und sich kringelte, in fingerlange
Stücke.

Nicht nur die Stücke, auch die Aalköpfe, die ganz
ordentlich auf nem Küchenbrett in Reihe lagen, waren
noch immer lebendig, sprangen sogar runter vom Brett.
Und weil ich beim Aalschlachten jedesmal danebenstand,
hat sich mal, weil ich das spitze Aalmaul berührt hatte,
solch abgehackter Aalkopf an der Kuppe von meinem Zeigefinger so festgesaugt, daß ich total erschrocken gewesen
bin und richtig fest ziehen mußte, um den Finger wieder
freizubekommen. Das alles, na, das Aalschlachten, wobei
eurem Vater die Aale oft wegglitschten, und die Sache mit
meinem Zeigefinger hat unsere Marie nicht etwa mit ihrer

Leica oder der Hasselblad, mit denen sie nur selten fotografierte, sondern mit ihrer Agfa-Box geknipst und mir
später, als sie wieder auf Besuch kam, nen Haufen Abzüge
im Sechsmalneunformat gezeigt. Naja, ihr wißt ja, was bei
ihr aus der Dunkelkammer rauskam: lauter schräge
Sachen. Jedenfalls waren auf den Fotos zwar beide Hände
drauf, mal mit der Vorder-, mal mit der Innenseite, aber
an jeder Fingerspitze, sogar an den Daumen, hatten sich
Aalköpfe festgesaugt. Sah eigentlich normal aus, wirkte
aber auf ne unheimliche Art total unwirklich, wie Horror-
hände in einem Gruselfilm. Genau, Lara, hätt man
schlecht träumen können davon. Und Jasper hat das –
weißte noch, wie ich dir von den Fotos erzählt hab? –
nicht glauben wollen. »Ist ne Montage, merkt man doch«,
haste gesagt und mir was Kompliziertes über amerikani-
sche Trickfilme erzählt. Dabei ist dir Marie mit ihrer Box
später total unheimlich geworden. Hast vor ihr richtig
Bammel gehabt.

Wird so gewesen sein. Wunder mich trotzdem, denn
eigentlich war sie ganz okay. Hat uns gezeigt, wie man mit
der Leica fotografiert. Und du durftest sogar mit ihrer
Hasselblad…

Alles, die richtige Blende, Belichtung und so, den ganzen technischen Kram hat sie mir nach und nach beigebracht. Weshalb ich später Fotograf geworden bin, richtig
mit Studium und Abschluß in Potsdam. Hat bestimmt mit
unserer Marie zu tun gehabt, bei der ich mir schon früh
ne Menge abgucken durfte. Und als euer Vater das Haus
hinterm Deich kaufte, in dem sie ab dann wohnte, durft
ich sogar, was sie sonst weder Jasper noch Taddel erlaubt
hat, zu ihr in die Dunkelkammer, die sie sich mit Rotlicht
und Schalen zum Entwickeln, Fixieren, Wässern und nem

Kopierrahmen in dem dazugekauften Haus eingerichtet hatte. Nur mit der Agfa-Box durft ich nicht...

Mit der hat sie für den Alten, euren Vater mein ich, Extrafotos geknipst. In jeder Stellung, aber meistens vom Bauch weg, ohne in den Sucher zu gucken.

Und von den immer noch lebendigen Aalköpfen, die sie vorher ungefähr im Halbkreis auf ihre Schnittflächen gestellt hatte, so daß sie nun himmelwärts wie irre nach Luft schnappten – weiß noch, waren genau acht Köpfe –, hats auch ne Reihe Fotos gegeben...

Worauf Kamilles Mann, versteht sich, euer Vater, den wir beim Vornamen nannten, nach dem, was auf den fertigen Fotos drauf war, ähnliche Bilder in seine Kupferplatten geritzt hat.

Nachher, wenn mit den Platten Papier bedruckt worden war, sah alles total abartig aus, als würden Aale aus dem Boden wachsen.

Weshalb er, vielleicht weil sie zu Ostern geschlachtet wurden, dies Bild »Auferstehung« genannt hat.

Und was sie noch alles für ihn knipsen mußte, meistens, wie schon Jasper gesagt hat, vom Bauch weg. Manchmal hat sie aber auch aus der Hocke raus oder am Elbstrand platt auf dem Bauch liegend total schräge Sachen geknipst.

Müßt ihr euch vorstellen: fast immer ist unser Paulchen ihr hinterhergezockelt, zum Beispiel, wenn sie auf dem Deich unterwegs war oder über Kuhweiden lief, um für den Alten die prallen Euter von den Kühen mit ihrer Box zu knipsen. Hab aber nicht geglaubt, was mir Paulchen wie ne normale Geschichte erzählt hat, daß auf den Bildern von der Box genau zu sehen war, wie sich an allen Euterzitzen lange fette Aale festgesaugt hatten, immer vier

Stück an jedem Euter, na klar, um Milch zu saufen. Was sonst, Lena! Glaubste nicht? Hab ich genauso nicht. Aber Paulchen hat mir geschworen. Und später hingen dann auf der Kupferplatte, die der Alte in Arbeit hatte, vier dicke Aale an Euterzitzen. Trotzdem sind die Geschichten, die er uns immer wieder erzählt hat, völlig gesponnen gewesen. Zum Beispiel die, daß sich Aale besonders gern nachts und immer bei Vollmond aus der Stör raus übern Deich, dann über Wiesen schlängeln und bei den Kühen, die sich extra dafür hinlegen, als hätten sie auf Aale gewartet, an den Eutern festsaugen und dann saufen und saufen, bis sie satt sind, genug haben, loslassen, damit die nächsten Aale und so weiter. Hast auch du gesagt, Taddel, »Völlig gesponnen!«, weil du ja viele Lügengeschichten, die dein Vatti draufhat, gekannt hast und nun plötzlich zu uns ins Dorf gezogen bist, weil es für dich in der Stadt nicht mehr auszuhalten war, oder?

Muß man verstehen, weil nämlich...

War schon in Ordnung, daß du weggewollt hast.

Und ich hätte eigentlich froh sein müssen, weil es zwischen Taddel und mir, rein geschwistermäßig... Doch als du dann weg warst...

Brauchte ne neue Familie, unbedingt. Kam mir in Friedenau absolut überflüssig vor. Störte nur. Kriegte ich andauernd zu hören. Hab also Terror gemacht. War darin groß. Immer wenn mein Vatti vom Land auf Besuch kam, um mit seiner Sekretärin Bürokram abzuwickeln, hab ich ne Show abgezogen, die aber echt war, weil ich absolut nicht mehr wußte, wos langging. Und das jedesmal, bis er endlich gesagt hat, »Na schön, wenn deine Mutter nichts dagegen hat«. Unsere Mama hat erst bißchen geweint und dann ja gesagt. Nehm mal an, daß sie Kamille gemocht hat. »Bei der wird es dir gutgehen, bestimmt«, hat sie zum Abschied gesagt. Und ich hab meine beiden Wellensittiche, die mir mein Vatti vorher, um mich zu trösten, geschenkt hatte, meinem Freund Gottfried geschenkt. Und in dem komischen alten Haus, das ich schon kannte, weil da mein Vatti so an die zwei Jahre lang mit der Mutter von Lena und ihren Halbschwestern gewohnt hat, hab ich mich ziemlich rasch eingelebt, auch wenn ich anfangs noch Terror gemacht und zum Beispiel die Katze, die Jasper und Paulchen gehörte, zwischen ein Doppelfenster gesperrt hab, wo sie Panik kriegte. Klar! War daneben! Absolut! Weiß nicht, warum ich... Ehrlich, Paulchen! Muß damals ein ziemlicher Terrormaxe... Oder was meint ihr?

Naja, aber eigentlich warste okay.

Hast einfach Zeit gebraucht, um dich einzugewöhnen.

Doch auf eure Mutter, die ich auch bald Kamille nannte, hab ich gehört, weil die sone bestimmte Art hatte, nicht leise, nicht laut. Wenn Kamille ja gesagt hat, hieß das ja, wenn nein, dann nein. Gleich zu Anfang hat sie mir Schimpfwörter wie »Spasti«, »Türkensau« und noch Schlimmeres verboten, oder besser auf ihre langsame Art abgewöhnt. Hat so aus mir einen halbwegs erträglichen Menschen gemacht. Das fand nicht nur die olle Marie, sogar du, Lara, wenn du ab und zu auf Besuch kamst. Und zwar ohne deinen Joggi...

Den mußten wir einschläfern lassen. War schon alt. Wollte längst nicht mehr U-Bahn fahren umsonst. Lag nur noch unter der Treppe. Und wenn er mal rüber, über die Straße zum Spielplatz Ecke Handjery wollte, hat er nicht mehr nach links und rechts geguckt. Da hab ich einwilligen müssen, als alle, auch meine Freundinnen sagten:

»Den müßt ihr einschläfern lassen, unbedingt. Der quält sich nur noch. Und lächeln tut er schon lange nicht mehr.« Nun war nur noch ich übrig. Kannst mir glauben, Taddel: hab dich sogar bißchen vermißt, weil ich mir plötzlich allein vorkam. Denn Jorsch machte seine Lehre in Köln, schrieb nicht mal ne Postkarte, war wie verschollen. Und Pat hat sich nur um seine Sonja gekümmert. Ja, und dann war, wie gesagt, Taddel weg, was ich, selbst wenn du manchmal richtig nervig gewesen bist, bißchen bedauert habe. Außerdem ging meine erste richtige Liebschaft mit einem viel älteren Kerl daneben. War so ein Typ, der sich suchtmäßig ganz junge Dinger geangelt hat. Das Mädchen nach mir soll noch jünger als ich gewesen sein. Red nicht gern darüber. Nein! Wirklich nicht. Und in der Schule war bei mir mit der Mittleren Reife Schluß. Hatte keinen Bock mehr auf Mathe und so. Wollte ja Töpferin werden, hab schon immer gern was mit den Händen geformt, Tiere meistens, wollte aber nicht Kunst machen wie mein Väterchen, sondern was gebrauchsmäßig Schönes. Weil aber keine Lehrstelle in der Stadt zu finden war, hat mir eure Kamille geholfen, nach einiger Rumfahrerei in Schleswig-Holstein, mal hierhin, mal dahin, endlich am Dobersdorfer See in einer echt schönen Gegend, wo ihre Schwester im Nebenhaus von einem Schloß wohnte, eine Lehrstelle bei einem Töpfermeister zu kriegen, der zwar eine Menge konnte, aber sonst ein mieser Typ war, was sich erst später gezeigt hat und worüber ich wirklich nicht gerne rede, nein, Lena, auch jetzt nicht. Hab mich jedenfalls riesig gefreut auf die Lehre. Und mit Kamille, die ähnlich wie ich praktisch veranlagt war, kam ich ganz gut zurecht. Die regelte alles. So wie sie früher, trotz euch zwei Jungs, berufsmäßig in einer Kirche Orgel gespielt und nebenbei noch was anderes studiert hat, so schmiß sie nun den Betrieb in dem großen alten Haus, in dem immer was los war, Besuch und so. Und unser Taddel – mußt du zugeben – war nicht mehr wiederzuerkennen. War so. Hast nun auf älterer Bruder gemacht und immer, wenn du Jasper und Paulchen gemeint hast, von »meinen kleinen Brüdern« gesprochen.

Paul, den wir alle aber nur Paulchen oder Paule gerufen haben, mußte lange Zeit auf Krücken laufen, seitdem mein Vatti beim Spazierengehen – weißnichtmehrwo – entdeckt hatte, daß er rechts humpelte.

Ist, wie sich rausstellte, ne tückische Knochenkrankheit gewesen, fand der Dorfarzt raus.

Hatte nen komischen Namen.

Weshalb er dann bei einem Berliner Spezialisten operiert werden mußte.

Hat lange gedauert, bis ich wieder ohne Krücken...

Und mein Vatti, der jetzt auf dem Land viel ruhiger war, sogar wie früher lachen konnte und nun endlich sein dickes Buch fertig bekam, wollte unbedingt, daß die olle Marie von dem Extraschuh, den Paulchen schon vor der Operation links tragen mußte, ein Foto mit ihrer Box machte.

Aber das fand Kamille nicht okay. Und weil sie bißchen abergläubisch war, hat sie Marie keine Erlaubnis gegeben, den Schuh zu knipsen.

Hat sogar gehorcht, die Alte, und dabei irgendwas hexisch Unverständliches gemurmelt.

Mein Horrorschuh war das, mußt ich am heilen Bein tragen. So nannte ich den, weil er total klobig aussah. Das rechte Bein hing in einem Gestell. Und die Krankheit, die ich hatte, war nach nem Arzt benannt, der diese Krankheit als erster entdeckt hatte. Perthes hieß der. War oben der Hüftknochen, der langsam, Kamille sagte »schollig«, zerfiel, weshalb ein Keil, Kamille sagte »wie ein Tortenstück«, rausgesägt werden mußte. Ist schon passiert, als wir noch in der Stadt wohnten. Lag lange im Krankenhaus neben nem Türkenjungen, der trotz Schmerzen ganz still und außerdem total nett war. Hab aber, hat Kamille gesagt, nicht viel gejammert, sogar wenn das Liegen stressig wurde. Waren ziemlich ruppig, die Krankenschwestern. Ist aber in Ordnung gewesen, der Professor, der an meinem Bein rumgesägt hat. War bekannt dafür, daß er am Knie oder sonstwo verletzte Fußballer von Hertha kurierte. Der hat meinen Hüftknochen in die richtige Stellung gebracht, damit er sich wieder festigen konnte. Hat er sogar, aber langsam. Nur ist mein rechtes Bein bißchen kürzer seitdem. Mußte den Horrorschuh nur anfangs tragen, bevor ich an Krücken ging. Und erst später, als ich schon nicht mehr an Krücken, bekam ich einen Schuh mit ner dickeren Sohle.

Bist aber absolut schnell gewesen.

Warst richtig geschickt mit Krücken.

Hab gestaunt, wenn ich auf Besuch kam.

Übern Friedhof rüber biste sogar fixer als wir...

Weshalb dich unser Mariechen unbedingt vor ihre Box, immer wieder...

Nen ganzen Film, danach noch einen, hat sie verknipst.

Fand sogar Kamille okay.

Nur den Horrorschuh durfte sie nicht...

Und Taddel, der sonst kein bißchen dran glauben wollte, hat trotzdem, noch bevor sie dich mit Krücken geknipst hat, gerufen: »Wünsch dir was, Paulchen! Schnell, wünsch dir was!«

Aber nur mir hat sie die Fotos gezeigt. War ein Dutzend und mehr. Konnt man drauf sehen, wie ich in einem riesigen Kaufhaus, glaub, war das KaDeWe – oder wars im Europa Center? –, auf Rolltreppen mit meinen Krücken raufrunter lief, sogar riskant gegen die Fahrtrichtung. Sah total irre aus. Immer über drei Stufen weg. Und oben und unten standen Leute, die – was bestimmt nicht mein Wunsch war – geklatscht haben, weil ich so fix auf Krükken. Bin sogar von der Abwärts- auf die Aufwärtstreppe gesprungen. Und auf ner anderen Serie konnt man sehen, wie ich, nun wieder im Dorf, auf der Schrägseite vom Stördeich raufrunter gerast bin. Über Zäune springen konnt ich. Und sogar einen Salto hab ich mit Krücken geschafft. Aber auf Fotos nur.

Danach biste ihr wien Hündchen hinterhergelaufen, immer wenn sie übern Deich in Richtung Hollerwettern unterwegs war.

Bis hin zum Elbdeich bin ich gestakst, von wo aus sie dann mit ihrer Agfa-Box, die ja eigentlich nur bei Schönwetter für Nahaufnahmen taugte, weit weg – und das bei Schmuddelwetter – Schiffe geknipst hat, darunter dicke Tanker und Frachter voller Container, die aus Hamburg kamen oder nach Hamburg wollten. Sogar Kriegsschiffe hat sie vom Deich weg geknipst, solche vom Bund, aber auch ausländische. Einmal einen Flugzeugträger, der von England her auf Flottenbesuch kam. Sah total irre aus. Hab nix gesagt, mir aber gedacht: Möcht mal wissen...

Könnt heut noch wetten: daß sie für meinen Vatti die Schiffe geknipst hat, weil der mit seinem dicken Buch fertig war und nun, wie er zu Kamille sagte, »zur Erholung« ein dünnes in der Mache hatte.

Was darin vorkam, sollte im Dreißigjährigen Krieg spielen, kurz bevor der zu Ende ging.

Und in den wollte er sich mit Hilfe von der Box zurückspulen.

Weil damals in unserer Gegend die gesamte Kremper- und auch die Wilstermarsch von den Dänen besetzt gewesen sein soll, und Glückstadt und Krempe mitten im Krieg belagert wurden, weißnichtmehr, entweder von Schweden, die mit den Dänen Zoff hatten, oder von Wallenstein, über den der Alte ne Menge wußte, auch, daß es außer Belagerungen eine richtige Seeschlacht auf der Elbe gegeben hat. Deshalb sollte nun, nehm ich mal an, mit Hilfe der Fotos von unserer Marie, die ja vom Elbdeich weg ganz moderne Kriegsschiffe – und immer mit ihrer simplen Box nur –, all das Zeug, das wir im Geschichtsunterricht durchgekaut hatten, mit Hilfe von paar Tricks wieder lebendig werden…

War so. Denn mein Vatti, der über Geschichte absolut Bescheid wußte, wollte jede Kleinigkeit »möglichst anschaulich« haben, wie er zu ihr gesagt hat: »Will wissen, wie viele Segel die Schweden gesetzt haben und mit wieviel Kanonen die dänischen Schiffe bestückt sind…«

»Historische Schnappschüsse« nannte der Alte sowas… Hat sie ihm geliefert, einzeln und in Serie…

…weil sie alles machte, was sich mein Vatti wünschte, gleich, was für Wetter war…

Selbst bei starkem Nordwest konnt man sie auf dem Elbdeich sehen. Schräg stand sie gegen den Wind und hat geknipst und geknipst. Und unser Paulchen, damals auf Krücken, immer dabei.

Na und? Kamille fand das in Ordnung. Hat jedenfalls nichts dagegen gehabt, daß unser Mariechen noch das Unmöglichste geliefert hat…

Bekamen wir jedesmal zu hören: »Manches kann man sich nicht einfach nur ausdenken.«

Und manchmal hat Kamille gesagt: »Später, wenn alles zu Ende erzählt ist, könnt ihr dann lesen…«

Hat uns nen Haufen Bücher hingelegt, die andere geschrieben hatten.

Immer wieder welche.

Weiß noch, eins hieß »Der Fänger im Roggen«.

Aber nur Jasper hat geschmökert. Was er kriegen konnte, wenn auch nix von meinem Vatti.

Pat hat früher Bravo-Heftchen, erst später Zeitungen und sogar Romane…

…aber Jorsch hat fast alles von Jules Verne…

Doch das stimmt: gab zu viele Bücher bei uns, so daß wir bildungsmäßig erst später, viel später…

Nur Jasper war ne Ausnahme.

Der hat für alle gelesen.

Für mich bestimmt. War damals nur am »Kicker« interessiert, weil in dem alle Fußballergebnisse…

Aber mit dem neuen Buch, das nicht so dick werden sollte wie das letzte, war er, wie Kamille sagte, »noch auf Motivsuche«…

Weshalb die olle Marie ständig auf dem Friedhof zugange gewesen ist.

Knipste rund um die Kirche uralte Grabsteine.

Wetten, daß hinterher auf allen Abzügen, sobald sie in ihrer Dunkelkammer verschwunden war, die Toten aus den Gräbern gekrabbelt, wieder absolut lebendig rumgesprungen sind und dabei Klamotten von ganz früher trugen, na, Pluderhosen, Perücken womöglich?

Jedenfalls ist der Alte mit Kamille, Paulchen und mir – du, Taddel wolltest nicht mit – in unserem Mercedes Kombi bis ins Münsterland...

...diesmal ohne Marie, die, vielleicht wie Taddel, keine Lust oder nur schlechte Laune hatte...

Aber deinem Vatti hat sie die Box geliehen, was sie sonst nie tat.

Und als wir in Telgte ankamen, hat er, was ihm noch fehlte an Motiven und so, mit der Box von unserer Marie...

Er, der nie fotografierte, hat mehrere Filme runtergeknipst...

Da lief ich schon nicht mehr mit Krücken. Hab ihm gezeigt, wie man eine Agfa bedienen muß, na, daß er nicht einfach, wie das Marie tat, nur nach Gefühl und vom Bauch weg...

Was er aber im Sucher hatte, war bloß ein stinknormaler Parkplatz, der fast leer war. Hätte nur Beton ins Bild kommen können.

War ne Insel, der Parkplatz, weil ein Fluß linksrechts einen Bogen drumrum machte und genau da wieder zusammenfloß, wo Reste von ner Wassermühle...

Hat er auch geknipst, den Rest von der Mühle.

Aber hauptsächlich war er auf den total betonierten Parkplatz scharf, weil dort – »genau hier«, hat er gesagt – »vor rund dreihundert Jahren der Brückenhof stand, der Ort des Geschehens sein wird«. Soll ne Art Herberge für Kaufleute gewesen sein, die mit ihrer Ware, na, Tuchballen und volle Fässer, über die Emsbrücken rüber unterwegs gewesen sind.

»Damals«, hat dein Vatti gesagt, »war Krieg, der nicht aufhören wollte, auch wenn schon seit Jahren in Münster und Osnabrück der Frieden verhandelt wurde.« Und deshalb soll dieser Brückenhof, den es früher mal gegeben hat, voll belegt mit Dichtern gewesen sein, die sich genau da treffen wollten, wo jetzt der fast leere Parkplatz…

Und die Dichter sollen sich aus ihren Büchern vorgelesen haben. Echt schwieriges Zeug, Barock und so…

Und alles nur deshalb, weil Taddels Vatti sowas selbst mal erlebt hat, als er noch ein ganz junger Dichter gewesen ist und sich mit nem Haufen anderer Dichter mal hier, mal da getroffen hat.

Bestimmt drei Filme hat er auf dem Parkplatz verknipst. Und ich hab ihm beim Rausnehmen und Einlegen der Spulen geholfen. Die müssen nämlich so in den Halter eingesetzt werden, daß die rote Seite vom Schutzpapier außen liegt. Sowas konnte er nicht. Hat aber schnell kapiert, worauf es ankam. Die Hauptsache hat sowieso heimlich die Box…

Nur paar Leutchen auf dem Parkplatz haben geguckt, weil sie den Alten, der dauernd knipste, erkannt haben.

War uns peinlich.

Vielleicht weil mein Väterchen ihnen bekannt vorkam, haben sie sich gedacht: Was hat dieser Typ mit dem Schnauzer hier zu suchen?

Klar, Lara! Haben sich bestimmt gesagt: Denkt, hier gibts Leichen im Keller, die er Stück für Stück ausbuddeln kann.

Hat ihn aber nicht groß gekümmert, daß die Leute geguckt haben.

Sonst aber war das echt spannend, was er erzählt hat, während er knipste. Wußte genau, um was es bei den Friedensverhandlungen ging. Was die Schweden unbedingt behalten wollten, worauf die Franzosen scharf waren und wie die Bayern und Sachsen schon damals besonders schlau sein wollten. Auch daß es nicht mehr hauptsächlich auf die richtige Religion ankam, sondern knallhart um Landbesitz geschachert wurde. Weshalb ja die kleine Insel, auf der Kamille geboren wurde, aber genauso Greifswald, die Stadt, in der sie später zur Schule ging und Orgelspielen gelernt hat, von nun an und für lange Zeit den Schweden gehörte. Kamille sagt jetzt noch manchmal, wenn sie von irgendwelchen Leuten gefragt wird: »Ich komme aus Schwedisch-Vorpommern.«

Und genau aus der Zeit stammt das Lied, das Taddels Vatti immer gesungen hat, wenn du, Lena, mit uns während der Sommerferien auf Møn warst und nicht einschlafen konntest. War eigentlich kein Einschlaflied. Fing an mit »Maikäfer flieg« und hörte mit »Pommerland ist abgebrannt« auf. Zwischendurch kam immer was total Grusliges: »Bet, Kindchen, bet, morgen kommt der Schwed...«

Ging so weiter: »Reißt dir Arm und Beine aus, steckt in Brand den Stall, das Haus.«

Sing doch mal, Lena! Singst doch so gerne.

Nur, wenn alle mitsingen...

Los: »Maikäfer flieg, dein Vater ist im Krieg...«

Die Fotos aber, die dein Vatti mit Paulchens Hilfe auf dem Parkplatz und danach in der Stadt geknipst hat, wo ne Kapelle mit ner Madonna für Pilger gewesen ist, die irgendwelche Krankheiten heilen konnte, sind dann alle in Mariechens Dunkelkammer verarbeitet worden, und zwar mit nem Trick, den keiner von uns...

Hat auch nie jemand zu sehen bekommen, nicht mal Kamille.

Und dein Vatti hat nur gesagt: »Sind ganz gut geworden. Einige etwas verwackelt.«

Der Brückenhof soll aber genau zu erkennen gewesen sein. Wie viele Stallgebäude er hatte und daß der Gasthof und die Ställe reetgedeckt gewesen waren und kein bißchen vom Krieg beschädigt.

Richtig angegeben hat er als Fotograf: »Glaubt mir, Kinder! Auf einem der Abzüge steht direkt vorm Eingang zum Brückenhof eine Person, die, zwar unscharf getroffen, dennoch zu erkennen ist. Schätze, ist die Wirtin vom Brückenhof, eine gewisse Libuschka, landläufig Courage genannt.«

Und dann hat er noch was von Porträtfotos gemunkelt, die ihm an der Wassermühle und in der Telgter Kapelle gelungen sein sollen: »Einen gewissen Greflinger und jemanden, der Stoffel gerufen und später berühmt wird, habe ich am Emsufer erwischt, und in der Gnadenkapelle einen jungen Dichter namens Scheffler, wie er dort kniete und sich bekreuzigt hat...«

Das aber hat er erst gesagt, als wir schon, wie jeden Sommer, auf der dänischen Insel waren, wo sich Kamille total glücklich fühlte, dein Vatti immer guter Laune und meistens Schönwetter war.

Aber der Alte ging immer nur kurz mit uns über die Weide zum Strand, weil er zu seiner Olivetti zurück wollte...

...und weil ihn das Tippen bei Laune hielt.

Jedesmal, wenn wir Ferien auf Møn machten, kam die kleine Lena dazu. Warst echt niedlich...

...hast aber manchmal genervt mit deinem Theater.

War leider so. Aber ihr wißt ja: früh übt sich. Wenn die kleine Nana jedoch, von der ich damals nicht wußte, daß es sie gab, dabeigewesen wäre, hätte ich bestimmt viel weniger Theater gemacht.

Schade, Taddel, daß du nicht mit uns…

…und nur, weil es im Vogterhaus, das Kamille gemietet hatte, und das so hieß, weil es eigentlich nur ein Kuhhirtenhaus war, kein fließend Wasser gab und null elektrisch Licht, nur Petroleumfunzeln und Kerzen.

Für uns war das okay…

…und abends richtig gemütlich.

Aber nicht für Taddel, der mehr auf Komfort stand.

Hast gesagt: »Is ja wie in der SBZ.«

Ich dagegen bin schrecklich gern auf der Insel gewesen, selbst, wenn ich leider oft weinen mußte, weil ich immer ein wenig Heimweh nach Rieke und Mieke spürte, meinen großen Schwestern. Anfangs hat mich mein Papa, weil ich noch klein war, von Berlin abgeholt. Später, als ich schon zur Schule ging, bin ich recht tapfer, wie alle gesagt haben, ganz allein zuerst mit der Reichsbahn durch den Osten bis Warnemünde, dann mit der Fähre über die Ostsee und dann mit der dänischen Bahn bis Vordingborg gefahren, wo mich mein Papa und eure Kamille abgeholt haben. Eigentlich hätte ich die kleine Nana mitnehmen können, wenn man mein Schwesterchen nicht wie ein Familiengeheimnis behandelt hätte. Nö, gabs nicht und fertig! Ihr Jungs jedoch seid extrem nett zu mir gewesen, selbst wenn ich euch manchmal, wie Paulchen es nannte, »total genervt« haben mag. Jasper und ich haben uns vorm Einschlafen immer Witze erzählt. Ich hatte ja von früh an ein Faible für Witze. O ja! Viel spazieren sind wir gegangen, über die Weide zum Strand, wo ich zur Freude meines Papas auf Wunsch immer wieder etwas Plattdeutsches gesungen habe, das ich in der Schule gelernt hatte: »Kum tau mi, kum tau mi, ick bün so alleen…« Oder wir sind durch den Wald gelaufen, der gleich hinterm Haus beginnt und der mir wie ein richtiger Urwald vorkam, so daß ich mich geängstigt habe und über Wurzeln gestolpert, oft hingefallen bin. Mußte leider weinen deshalb. »Mach nicht schon wieder Theater!« hat Jasper dann gerufen, als wenn du geahnt hättest, daß ich später mal auf die Schauspielschule...

Konntest schon damals, was keiner von uns hinkriegte, ganze Gedichte auswendig...

Und da, auf der Insel, in der Kuhhirtenkate, die auf mich wie ein Märchenhaus gewirkt haben muß, hab ich dann euer altes Mariechen besser kennengelernt. Bis dahin hatte ich sie nur ab und an erlebt, als mich mein Papa zweimal in der Woche bei meiner Mama abholen durfte. In seiner Werkstatt hab ich mit Knöpfen spielen müssen, die sich mein Papa, der ja leider, wie ihr wißt, alles andere als ein normaler Spielvater gewesen ist, bei Pat für mich zum Spielen geliehen hatte...

Stimmt nicht, Lena! Ich, dein herzensguter Bruder Taddel, hab dir die Knöpfe besorgt.

Ist doch egal wer, oder? Jedenfalls hat mich beim Knöpfespiel euer altes Mariechen, das mir irgendwie mysteriös gewesen sein wird, mehrmals mit ihrem mir genauso mysteriösen Kasten fotografiert, wobei sie immer geflüstert hat: »Wünsch dir was, meine kleine Lenamaus, wünsch dir was.« Leider hab ich vergessen, was ich mir damals sehnlichst gewünscht habe. Vielleicht, nö, bestimmt, daß mich mein Papa häufiger... Naja. Aber diesen mir äußerst mysteriösen Kasten, von dem mir Jasper und Paulchen Wunderdinge und Schreckliches erzählt hatten, trug sie auch bei sich, als wir sie während mehrerer Tage auf der Insel besuchsweise erlebten. Weißt du noch, Jasper, wie wir alle mit eurem alten Mariechen über die Heide bis zur Schanze gelaufen sind, wie mein Papa diesen rundumlaufenden Wall genannt hat?

Genau! Und der Alte hat wieder mal die Story gebracht, die er immer auf Lager hielt, wenn er mit Leuten, die ihn und Kamille besuchten, zur Schanze ist. Und diese Geschichte, die ihm der Lehrer Bagge, von dem wir das Ferienhaus gemietet hatten, erzählt haben soll, fing immer damit an, daß er uns oder anderen Leuten nen Geschichtsvortrag gehalten hat, weil nämlich um achtzehnhundertnochwas, als überall Napoleon herrschte und deshalb die Engländer Kopenhagen in Brand geschossen hatten, eine englische Korvette – oder war es ne Fregatte? – vor unserer Insel, und zwar genau in der Fahrrinne durch den Sund nach Stege, aufgekreuzt ist, womöglich um auch diese Stadt in Brand zu schießen. Aber die Inselbauern von Møn haben ganz schnell ne Heimwehr zusammengetrommelt, an die fünfzig Mann mit einem Hauptmann an der Spitze, der eigentlich adlig und Gutsbesitzer war. Fix über Nacht haben die Männer dann einen rundumlaufenden Erdwall geschaufelt und dann noch in der Mitte einen Hügel, auf dem die einzige Kanone, die es auf der Insel gab, aufgestellt wurde. Jadoch! In genau einer Nacht sollen die das geschafft haben. Und am nächsten Morgen wurde mit dieser einzigen Kanone immer dann geballert, wenn der Wind günstig für die Korvette war und sie Kurs durch den Sund in Richtung Stege nehmen wollte. Natürlich hat die Korvette – oder war es doch ne Fregatte? – mächtig zurückgeballert. Tag für Tag. Fast eine Woche lang. Dann aber, an einem Samstag, hat der dänische Hauptmann von der Inselheimwehr ein Ruderboot, das eine weiße Fahne gehißt hatte, mit drei Mann an Bord, unter denen sich ein Großbauer aus Udby befand, zu der Fregatte geschickt, und der Großbauer hat, weißnichtwielang, mit dem englischen Fregattenkapitän verhandelt, weil nämlich am nächsten Tag, der ein Sonntag war, seine Tochter den Sohn von einem anderen Großbauern aus Keldby heiraten wollte. Deswegen, soll er gesagt haben, kann unsere dänische Heimwehr, da alle Mann zur Hochzeit eingeladen sind, einen Tag lang nicht in Richtung Korvette ballern. Und darum wollte er nun dem englischen Kapitän erstens einen befristeten Waffenstillstand vorschlagen und zweitens ihn und drei seiner Offiziere herzlich als Ehrengäste zur Hochzeit einladen. Danach, am drauffolgenden Montag, soll der Inselbauer gesagt haben, könne man ja wieder mit der Ballerei anfangen. Beide Seiten fanden nach kurzer Beratung diesen Vorschlag okay. Und genau so soll der Handel abgelaufen sein. Gleich nach der Hochzeit, bei der, kann man annehmen, mächtig gebechert und Sahnetorte gespachtelt wurde, begannen die Kanonen wieder aufs neue. Das dauerte, bis das englische Kriegsschiff, weil es nicht durchkam nach Stege oder genug hatte von der Ballerei, vielleicht auch, weil die Munition knapp wurde, einfach abdrehte und weg war unter voller Beseglung in Richtung Seeland. Die Schanze aber und den Graben drumrum, dazu noch den Hügel in der Mitte, auf dem die Kanone gestanden hatte, gibts immer noch, nur sind inzwischen die Gräben rundum mit Grünzeug und Gebüsch überwachsen. Doch du, Lena, hast die Geschichte, die uns dein Papa erzählt hat, einfach nicht glauben wollen, hast immer gerufen: »Du lügst! Du lügst schon wieder!« Stimmts, Paulchen?

Wie soll sie sich erinnern können? War viel kleiner als wir.

Aber an die Strandbude von Frau Türk, in der sie sich Tütchen voll Lakritzenpastillen und Lakritzstangen für ihre Schwestern Mieke und Rieke gekauft hat, kann sich Lena bestimmt noch erinnern…

Nö! Oder nur dunkel. Wird aber so gewesen sein, weil nämlich mein Papa oft solch extreme Geschichten erzählt hat, besonders zum Einschlafen, nachdem uns Kamille, die immer ganz lieb zu mir war, alle gekrault hatte. Doch mit seinen Schwindeleien ist es dir, Lara, bestimmt ähnlich ergangen. Und später der kleinen Nana gleichfalls, wenn ihr Papa sie manchmal und bestimmt viel zu selten bei ihrer Mama besucht und sich vorm Einschlafen an ihr Bettchen gesetzt hat. Lauter Lügengeschichten! Von denen sich einige allerdings – nicht wahr, Lara? – ganz wunderschön angehört haben. Doch dann hat euer altes Mariechen, das ja mit uns zur Schanze gelaufen ist, mit ihrer mir so mysteriösen Kastenkamera oder Box, wie ihr sagt, und zwar hintenrum, aus einer Rumpfbeuge durch die Beine, von der Schanze und von dem vielen Wasser davor, das mal dunkelblau war, dann wieder silbrig glänzte, weißnichtwieviele Fotos gemacht…

Drei Rollfilme bestimmt.

Konnte mein Vatti nie genug kriegen davon.

Aber nur mir hat sie später, als ich schon wieder zur Schule mußte, einige von den Bildchen gezeigt. Taddel wird es nicht glauben wollen und Jasper vielleicht auch nicht, denn nun war genau zu erkennen, daß mein Papa diesmal nicht gelogen hatte. War doch zu sehen, wie viele Møner Bauern, bestimmt mehr als fünfzig, in drolligen Uniformen hinter der Schanze und der Kanone standen. Sogar das Schiff war drauf mit zwei Masten, vielen Segeln und mit weißen Wölkchen vorm Schiffsbauch, weil es, wie

Jasper schon sagte, fortwährend »geballert« hat. Natürlich gabs von der Hochzeit Fotos, wie alle Gäste in einer Scheune getanzt haben, auch die englischen Offiziere, sogar der Kapitän mit der Braut. Muß lustig gewesen sein. Lauter lachende Gesichter. Nur der Bräutigam sah ernst aus, hat wohl, werweißwarum, nicht lachen können. Und von dem Hauptmann der dänischen Heimwehr zeigte mir das alte Mariechen ein Porträtfoto, auf dem er aber trotz extrem großem Dreispitzhut irgendwem ähnlich sah, meine immer noch dem Lehrer Erling Bagge, der meinem Papa diese offenbar doch wahre Geschichte von der Schanze erzählt haben soll. Jedenfalls gelang es mir seitdem fast immer, alles zu glauben, was mir mein Papa erzählt hat, selbst dann, wenn ich mir insgeheim habe sagen müssen: Typisch, jetzt lügt er leider schon wieder...

Wie ja auch wir, die wir hier sitzen und reden und reden, nicht sicher sein können, was er uns sonst noch einredet – und was dabei rauskommt am Ende...

Könnte ganz schön peinlich werden...

Vielleicht aber auch lustig...

Oder uns traurig machen...

Selbst wenn es nur Geschichten von früher sind, als wir noch Kinder waren und Wünsche hatten...

Wünschdirwas! Wünschdirwas! Aber Mariechens Box hat nicht nur Wünsche erfüllt. Wenn sie wütend war euretwegen, oder der Wind aus falscher Richtung blies, oder sonstwas an ihr nagte – des Krieges nachwachsender Biberzahn –, hat sie uns alle – weißt du noch, Paulchen? – zwei drei Filme lang in die Steinzeit versetzt. Knipsknips: schon waren wir weg, zeitabwärts, verbannt in moorige Gegend...

Mußt du gesehen haben in ihrer Dunkelkammer, wie wir als Horde, die Kinder, die Mütter und ich, ums Feuer hocken, in Felle gewickelt an Wurzeln kauen, Knochen benagen. Eine zottelige Gesellschaft, die ihre Keulen und Steinäxte immer griffbereit hält, so daß später, das heißt auf dem letzten Film, als der Hunger kein Ende nahm, ihr euren alten Vater, weil der nur noch unnütz und seine Geschichten plappernd...

Oder wie sie euch alle, schließlich bloß Taddel und Jasper, weil beide nicht an ihre Box glauben wollten, ins tiefste Mittelalter versetzt hat: straffällig zur Kinderarbeit in einer Tretmühle verdonnert. »Verwöhnte Gören«, hat sie gezischelt und geknipst und geknipst, wie ihr tagaus tagein angekettet und unter Peitschenhieben... Aber davon will selbst Paulchen nicht reden, obgleich er beim Entwickeln zugucken durfte; eine Gunst, die mir versagt blieb, obgleich sie sonst alles, was ich mir wünschte...

Schnappschüsse

Von den acht Kindern ist jetzt das jüngste dran. »Endlich«, sagt Lena zu Nana, die alle Geschwister in ihr knapp bemessenes Zimmer, das zu den Räumen einer Wohngemeinschaft im Hamburger Stadtteil St. Pauli gehört, in Eile eingeladen hat, weil nun sie, nach langem Zuhören, an der Reihe sein soll. Stühle mußte sie leihen, auch Teller und Gläser.

Da alle gekommen sind, wird es eng um den Tisch, auf dem sich in Schüsseln Vegetarisches anbietet: Mus aus Kichererbsen, mit Öl verrührt, sämiger Brei aus Auberginen, den Kräuter würzen, Reis in Weinblätter gerollt, Endivien zum Stippen in Mus und Brei, Oliven und türkisches Fladenbrot. Dazu ist trüber Apfelsaft zu haben. Und zwischen alldem wartet, neben Schnittblumen in Wassergläsern, jene Tontechnik, die der Vater seinem Sohn Jorsch untergeschoben hat.

Draußen nieselt es und bestätigt einen Sommer, den jeder als ziemlich bis total verregnet beklagt. Noch weicht Nana aus, will nicht als erste »einfach mal auspacken«, wie Lena ihr vorschlägt. Vorerst beginnt sie mit verhauchter Stimme und allzu schnellflüssig, so daß Taddel – oder ist es Jorsch? – meint, zu »ner langsamen Gangart« raten zu müssen. Sie erzählt von gelungenen Geburten, in Nebensätzen vom Streß in der Klinik, in der, wie überall, Pflegepersonal fehlt, also vom Alltag einer Hebamme und nur beiläufig von zu kurzen Urlaubstagen in Antwerpen: »Ach, war schön dort zu zweit.«

Fürsorglich um ihr Schwesterchen bemüht – und bevor Pat und Jorsch wieder mal loslegen oder Jasper eher umständlich von der Mühsal heutiger Filmproduktion berichten kann –, sagt Lara, auf die alle hören: »Eigentlich gehts dir doch bestens, weil dir dein flämischer Liebster echt guttut, mein ich. Merkt man doch. Bist viel offener. Fang schon an!«, und, oh Wunder, jetzt räuspert sich Nana.

Wie ihr ja wißt, hör ich im Prinzip lieber zu. Denn von alldem, was ihr so erlebt oder habt aushalten müssen, wußte ich kein bißchen. Wie ja auch Lena keine Ahnung hatte, nun, davon, daß es mich, die kleine Nana, überhaupt gab, bis unser Papa zu ihr – da war sie schon zwölf oder dreizehn und ich mal gerade sieben oder acht – gesagt hat, vielleicht weil er sein Geheimnis nicht mehr für sich behalten konnte: »Übrigens hast du ein kleines Schwesterchen, das ganz süß ist« oder so ähnlich. War reichlich spät, als er rausrückte damit. Also bin ich als Einzelkind aufgewachsen, auch wenn ich wußte, daß es noch viele Geschwister gab, die, wenn ich euch ab und zu sah, ganz lieb zu mir gewesen sind, wirklich. Doch dann waren Pat und Jorsch weit weg in der Lehre, auch Lara, weil du, was ich schön fand, Töpferin werden wolltest, und ich ja auch gern mit den Händen… Und Taddel, den ich kaum kannte, durfte auf dem Land leben, wo es außer dir noch Jasper und Paulchen gab, die aber keine richtigen Geschwister waren, auch wenn ihr beide im Prinzip – da gabs ja, wie mein Papa immer gesagt hat, keinen Unterschied – dazugehört habt. Nur leider ich nicht. Bin meistens alleine gewesen, aber heimlich gewünscht hab ich mir schon, daß wir eine richtige Familie gewesen wären, nun, richtig kuschelig, mein ich, besonders dann, wenn mein Papa kurz auf Besuch kam und meistens mit meinem Mütterchen nur über Bücher und das Büchermachen, auch über vergessene oder verbotene Bücher und so geredet hat, bis ich gesagt habe: »Bin auch noch da!« Doch oft sind wir zu dritt, was meistens schön war, irgendwo hingegangen, Eisessen oder irgendwas einkaufen für mich, was ich aber nicht haben wollte, weil ich mir nie Sachen zum Anziehen oder Spielzeug, gar Barbiepuppen, sondern ganz anderes gewünscht habe, etwas, das man nicht kaufen konnte. Als ich dann in die Schule ging, fand ich es anfangs interessant, so alte Eltern zu haben, die einander viel zu sagen hatten, und nicht so junge wie die anderen Kinder in meiner Klasse. Dabei haben sich die beiden im Prinzip immer die gleichen Geschichten erzählt, als wären sie schon ewig miteinander vertraut. Und meistens ging es um Personen, die auch Bücher machten oder früher gemacht hatten oder die nur über Bücher von anderen schrieben. Einmal, weiß ich noch, sind wir alle drei mit meinem Mütterchen am Steuer nach Ostberlin rüber, wo sie bei jemandem heimlich was Verbotenes abgeholt hat, das Erfolg versprach, und woraus später im Westen ein Buch werden sollte. Richtig aufregend ist das gewesen, weil uns irgendwer gleich nach der Grenzkontrolle nachgefahren ist, auch zurück noch. »Das ist ein Spitzel«, hat mein Papa gesagt, »der wird dafür von seiner Firma bezahlt.« Aber oft sind wir ganz harmlos nur auf Rummelplätze gegangen mit vielen Buden und Karussells, weil mein Papa Rummelplätze besonders liebt. So haben wir auch den größten Rummel, das deutschfranzösische Volksfest, besucht. In Tegel war das, wo ich mit mei-

nem Papa immer nochmal auf dem Kettenkarussell gefahren bin. Ach, ist das schön gewesen! Nie konnten wir
genug bekommen. Immer wieder rundum durch die
Lüfte. Ihr wißt ja, daß er schon immer besonders Ketten-
karussells geliebt hat, wie ich auch. Nur mein Mütterchen
wollte vor lauter Angst nicht mitfahren. »Um keinen
Preis«, hat sie gesagt, »kriegt ihr mich da rauf.« Und auch
euer altes Mariechen, das ich wohl damals zum ersten Mal
erlebt habe, weil mein Papa sie aufs Volksfest mitgebracht
hatte, und vor dem ich mich, ähnlich wie du, Lena, ein
wenig gefürchtet habe, weil sie immer abseits stand und
nur zuguckte, wollte keinesfalls – »Nicht für ne Million!«
hat sie gesagt – mit uns auf dem Kettenkarussell fahren.
Aber dann hat sie mich und meinen Papa heimlich mit
ihrer Fotobox, von der mir später meine große Schwester –
nicht wahr, Lara? – lauter Wunderdinge, aber genausoviel
Unheimliches erzählt hatte, immer wieder geknipst, lauter
Schnappschüsse…Wie wir hoch durch die Luft flogen,
rundum, und beide richtig glücklich waren dabei. Er hinter, über, unter mir, dann manchmal neben mir, so daß wir,
Sessel neben Sessel, Händchen halten konnten. Sogar
gedreht haben wir uns umeinander linksrum, dann wieder
rechtsrum, weil ich davor keine Angst hatte, könnt ihr mir
glauben, kein bißchen, weil ja mein Papa dabei war und
ich ihn ganz für mich hatte. Ach, war ich glücklich! Als
dann aber mein Mütterchen und ich, als er wieder mal
kurz auf Besuch kam, die Schnappschüsse aus der Fotobox
sehen durften, haben wir beide gestaunt und wollten zuerst
nicht glauben, denn auf allen Knipsfotos flog nun sogar
mein Mütterchen, einfach dazugezaubert, als Mitfahrerin
auf dem Kettenkarussell rundum durch die Luft, wie ich es
mir schon immer heimlich gewünscht hatte: wir drei als

richtige Familie. Er hinter mir, sie vor mir und ich in der Mitte, dann wieder umgekehrt. Ach, sah das schön aus. Irgendwie kuschelig, weil wir ganz nah beieinander. Konnten Händchenhalten dabei. Aber mein Mütterchen, das auf allen Schnappschüssen noch herzlich gelacht, bestimmt sogar aus Freude und ein bißchen vor Angst gekreischt hatte, ist auf einmal ganz ernst und sachlich geworden. Von »optischer Täuschung« hat sie geredet und von »gekonnt verfälschter Wirklichkeit«. Dann aber hat sie doch lachen müssen: »Das kommt davon, wenn man zuviel Kettenkarussell fährt und nie genug kriegt…« Aber von einem Schwesterchen, das Lena hieß und einige Jahre älter als ich war, hat mir auch euer altes Mariechen kein Wort gesagt, weißnichtwarum. Und mein Mütterchen höchstens andeutungsweise. Doch später, viel später, als es das alte Mariechen nicht mehr gab und ich vierzehn oder fünfzehn war, und als wir, Lena und ich, uns schon viel besser kannten – und nun, nicht wahr, sind wir echt befreundet –, da ist mein Papa mit mir zuerst in den Tiergarten gegangen, wo wir eine Stunde lang immer im Kreis gerudert sind. Ich durfte rudern, er hat geredet, wenn ich mich recht erinnere, über die Hugenottenverfolgung, die Bartholomäusnacht, in der so viel Blut geflossen ist, und lauter andere schreckliche Dinge. Und dann sind wir nach Ostberlin rüber, was ja nun möglich war nach dem Mauerfall, wo wir im Treptower Park auf Motivsuche, wie er das nannte, gewesen sind. Ach, haben wir es lustig gehabt! Ihr hättet uns sehen sollen: dreimal nacheinander sind wir, weil es dort eine Art Rummel mit Buden und Karussells gab, Achterbahn gefahren, nicht nur, weil mein Papa genauso gerne Achterbahn wie Kettenkarussell fuhr, sondern weil er dieses Motiv, wie er sagte, dringend benötigte, und zwar für ein Buch, das noch lange nicht fertig war, in dem jedoch ein alter Mann, der Fonty heißen und im Tiergarten mit seiner französischen Enkelin Achterbahnfahren, Rudern und wasnochalles tun sollte, als Hauptperson vorgesehen war. Und deshalb sind wir in den Treptower Park, wo er sogleich Billets für zwei Fahrten nacheinander kaufte. Erwies sich aber als reichlich altersschwach, die Achterbahn. Stammte noch aus DDR-Zeiten. Hat gestöhnt und gequietscht in den Kurven, so daß wir dachten, jetzt gleich gibt sie den Geist auf. Weil aber das alte Mariechen damals schon tot war und nicht dabei sein konnte, sonst aber im Prinzip dabei gewesen wäre, wenn sie nicht auf so unerklärliche Weise... Nun, ihr wißt schon, was ich vermute. Da hat mein Papa gesagt: »Wer weiß, was unser Mariechen mit ihrer Box sonst noch gesehen hätte...« Er meinte wohl, was man sich sehnlichst wünscht heimlich, und was manchmal sogar in Erfüllung geht, wie damals auf dem Kettenkarussell, als mein Mütterchen, ich und mein Papa hoch durch die Lüfte...

Kennen wir sowas! Nicht nur mit dir, mit Paulchen, Lena, klar, mit mir auch wollte der Alte unbedingt Achterbahn fahren, als wir alle – aber ohne Taddel – auf Møn wieder mal Ferien machten und wie jedes Mal der Kopenhagentag auf dem Programm stand. War ja okay, weil von ihm gut gemeint. Damals sind wir mit Kamille ins Tivoli, wo es ziemliches Gedränge und irre Karussells gab. Aber auf die Achterbahn wollte keiner von uns.

Hat nur er sich gewünscht.

War womöglich enttäuscht von uns.

Sag ich ja: wollte unbedingt auf die Achterbahn, die supermodern, irre verschlungen und mit ner steilen Abfahrt, na, sag ich mal, ziemlich gefährlich aussah. Riesenrad oder was anderes, das ruhiger ablief, wär für mich okay gewesen. Sogar von mir aus Kettenkarussell, auf das er mit Gutzureden sogar Kamille gekriegt hat, aber auf die Achterbahn, sagt ich schon, wollte keiner von uns, nicht mal Paulchen, der ihm sonst jeden Gefallen tat. Und als ich mich überreden ließ und er mit uns allen ne Tour auf der Bergundtalbahn gemacht hat, hab ich gleich danach kotzen müssen, hinter ner Bude ins Gebüsch. Zum Glück war Marie nicht dabei mit ihrer Box. Hätt bestimmt, weil ich lange gewürgt hab, weißnichtwas draus gemacht.

Ist trotzdem total schade gewesen, daß wir ohne sie ins Tivoli, weil sie unseren Hund, der eigentlich meiner war, gehütet hat.

Aber immer, wenn bei uns im Dorf auf der Werft ein Schiff vom Stapel lief, stand die olle Marie oben auf dem Deich und hat stehend oder aus der Hocke genau den Moment vom Stapellauf abgepaßt.

Meistens war unsere Paula dabei, die von ihr, was Kamille nicht gern sah, heimlich mit Eigelb gefüttert wurde.

Ich durfte immer ihre Tasche mit den Rollfilmen tragen. »Bist mein Assistent, Paulchen«, hat sie gesagt.

Waren Küstenmotorschiffe – richtig, Taddel, wurden Kümos genannt –, die bei uns auf der Werft vom Stapel liefen.

Ist jedesmal groß gefeiert worden. Stand viel Volk drumrum. Normale Wewelsflether, außerdem Gäste von der Politik. Klar, daß der Bürgermeister, Sachse hieß der, oben auf dem Podest stand. Reden wurden gehalten. Sogar wenn es regnete. Meistens hat ne Frau mit Hut, wie das so ist bei Schiffstaufen, vom Podest weg eine Sektbuddel gegen den Bug geschmissen. Und die ganze Zeit über bekamen die Trommler und Pfeifer vom Dorf total viel zu tun. Doch dafür hat sich Mariechen nie interessiert. Nur aufs Schiff war sie fixiert, wie es langsam, dann schnell in die Stör gerutscht ist, ne riesige Welle gemacht hat, dann aber kurz vorm anderen Ufer, wo dicht Schilf stand, ganz ruhig im Wasser lag. Hat draufgehalten, vom Bauch weg oder aus der Hocke raus, egal ob bei Regen oder Sonne, zwei, manchmal drei Filme lang. Immer aufs Schiff nur. Und ich durft ihr helfen beim Filmwechsel. »Schnappschüsse machen«, nannte sie das. Danach gings ab in die Dunkelkammer, gleich hinterm Deich...

Hieß deshalb so: »Haus hinterm Deich«.

Hat mein Vatti gekauft, als bald nach dem dicken Buch das dünne fertig war. Lief meistens so ab, wenn sein neuestes Buch Auflage machte und so unter die Leute kam.

Weiß wirklich nicht, wissen wir alle nicht, wie er das jedesmal hingekriegt hat: ein Bestseller nach dem anderen, gleich was die Zeitungsfritzen darüber zu meckern hatten.

»Geld«, hat Mariechen gesagt, »ist für euren Vater nur wichtig, damit er von niemand abhängig wird. Für sich braucht er kaum was: Tabak, Linsen, Papier, ab und zu ne neue Hose...«

Und als er das Haus hinterm Deich kaufte, hat er zu mir gesagt: »Sonst kauft es die Werft, reißt es ab und stellt genau da einen Lagerschuppen aus Beton mit Wellblechdach hin.«

Das hatte er von Sachse, dem Bürgermeister gehört, weil der sich Sorgen machte um die Schönheit von seinem Dorf.

Deshalb mußte mein Vatti schnell die Werft überbieten. »Ist doch erhaltenswert«, hat er gesagt. »Bestimmt zweihundert Jahre alt. Wär jammerschade drum.«

Wahrscheinlich aber hat er das Haus hinterm Deich nur gekauft, weil ihm die Kirchspielvogtei zu laut wurde. Zuviel Trubel mit Treppe raufrunter. Denn immer waren Freunde von uns da, die kamen und gingen. Bin sicher, nur darum hat sich der Alte im Haus hinterm Deich seine Werkstatt eingerichtet mit Stehpult, Tonkiste, Drehböcken und all seinem Kram.

Ging morgens zur Arbeit, kam zum Kaffee zurück, verschwand wieder.

War so, als er sich die Ratte im Käfig hielt.

Wollte für sich sein mit seiner Ratte.

Sogar Kamille hat ihn nur selten besucht.

Stimmt nicht. Erst später kam die Ratte, viel später...

Doch allein für sich wollte er immer schon sein, überall, schon im Klinkerhaus früher...

Hat sich womöglich schon lange ne Ratte gewünscht, mit der er allein...

Bin aber trotzdem oft im Haus hinterm Deich gewesen, weil unser Mariechen nach hinten raus ihre Dunkelkammer in der Abseite hatte und sie von Kamille ne total gemütliche Wohnung in dem alten Kasten eingerichtet bekam. Und ich, nur ich durfte manchmal, wenn ich mir vorher die Hände mit Seife gewaschen hatte, in ihr »Allerheiligstes«, wie sie ihre Dunkelkammer nannte. War jedesmal irre spannend. Denn da hab ich gesehen, was sie ohne Tricks, könnt ihr mir glauben, ganz ohne Schummeln aus den Rollfilmen gemacht hat, die sie vorher mit ihrer Agfa-Box vom Deich runter, als wieder mal ein Küstenmotorschiff vom Stapel... Ist jedenfalls ganz normaler Entwickler gewesen, den sie benutzte. Und weil Mariechen bei jedem Stapellauf dabei war, konnte man jedesmal hinterher mitkriegen, wohin die Kümos, sobald sie fertig ausgebaut und seetüchtig waren, unterwegs gewesen sind, nach Rotterdam oder um Jütland rum, sogar bei total hohem Wellengang. Und von einem Küstenmotorschiff – weißnichtmehr wie es hieß – hat ihre Agfa sogar vorausgewußt, daß es vor der Insel Gotland kentern und dann sinken würde. Auf acht oder noch mehr Fotos konnt man erkennen, wie die Container bei schwerer See auffem Deck ins Rutschen kamen, immer mehr verrutschten, bis das Schiff Schlagseite bekam und mit allen Containern, von denen vorher schon mindestens zwei über Bord gingen, kenterte, nach Steuerbord weg kenterte, ne Zeitlang noch kieloben schwamm, plötzlich wegsackte, weg war, nur noch paar Klamotten, Fässer und so... Glaubt ihr nicht? War aber so. Konnt man sehen: Totalverlust! Stand sogar später in der Wilsterschen Zeitung. Hat Kamille uns vorgelesen, na, was ich schon in der Dunkelkammer auf nem Stoß Abzüge mitgekriegt hab und was die Agfa beim Schnappschüssemachen vom Stapellauf an vorausgewußt hatte. Sogar zwei Tote gabs, wurden später in Schweden angeschwemmt... »Achgottchen! Achgottchen!« rief sie, als schon beim Entwickeln der Filme deutlich wurde, was mit dem Schiff in Zukunft Schlimmes passieren würde. »Erzähl davon bloß nix im Dorf«, hat sie geflüstert, »sonst machen die aus mir ne Hexe. Ist gar nicht so lange her, da haben die Leute sowas wie meine Wenigkeit einfach verbrannt. Zunder gabs ja genug. Schon immer. Da half kein Beten. Ganz fix ging das.« Und dann hat sie noch nach ner Weile gesagt: »Viel hat sich nicht geändert seitdem.«

Genau das bekam ich jedesmal zu hören, wenn sie für meinen Vatti »historische Schnappschüsse« machte, wie sie das nannte: »Hat sich kaum was geändert seitdem, nur die Mode.«

Und so sah es aus, als sie in der Kirchspielvogtei vom großen Zimmer, in dem kein einziger Mensch war, so daß man all die gelbgrünen Fliesen sehen konnt, für ihn ne Serie geknipst hat, und hinterher – stimmts, Paulchen? – hat sie bei sich in der Küche die Abzüge frisch aus der Dunkelkammer aufgehängt, auf denen nun mitten im Zimmer ein langer Tisch stand, um den paar alte Knacker mit Bärten saßen, bestimmt ein Dutzend, die in komischen Klamotten steckten.

Rauchten lange Tonpfeifen alle.

Und am Ende von dem Tisch saß mein Vatti als Kirchspielvogt und trug zu nem geplusterten Hemd ne Perücke aus lauter Locken.

Möchte schon wissen, wie sie ganz ohne den technischen Aufwand, der heute nötig ist, solch virtuelle Szenen hingekriegt hat, denn nur mit der Box allein...

War so, Jasper, nur mit der Agfa. Auch als unsere Marie die Serie mit den verschnörkelten Grabsteinen vor der Kirche fotografiert hat, sah man hinterher, wie Taddels Vatti diesmal als Pfaffe mit riesigem weißen Kragen und schwarzem Talar hinter einem Sarg ging. Weißte noch? Wir drei mit Kamille, die als trauernde Hinterbliebene wie ne Witwe aussah, dackelten hinter ihm her...

In schwarzen Kniebundhosen steckten wir und hatten Frisuren zum Totlachen.

Wirkte nicht mal unheimlich die Szene, sondern wie aus nem Kostümfilm.

Wer aber im Sarg lag, konnt man nur raten.

Hat selbst die Box nicht gewußt.

Vielleicht seine Ratte, die abgekratzt ist, als er das Rattenbuch endlich fertig hatte.

Und die er noch lange im Kühlschrank von der ollen Marie aufbewahrt hat.

Lag steifgefroren im Tiefkühlfach, weil er bestimmt vorhatte, sie irgendwann aufzutauen, damit die Box...

Jetzt lügt ihr, wie sonst nur mein Papa lügt...

War aber so!

Könnt noch ganz andere Sachen erzählen, die total irre sind, weil ich fast immer dabei war, wenn sie ihre Schnappschüsse, von denen manche echt witzig waren, entwickelt hat. Sogar die Werft ist von ihr historisch gemacht worden, denn wie unser Haus im Dorf immer noch Jungesches Haus hieß, so ist die Werft früher, lange bevor sie Peterswerft geheißen hat, nach ihrem Besitzer, dem Schiffsbaumeister Junge benannt worden. Und auf der Jungeschen Werft wurden jede Menge Walfangkutter vom Stapel gelassen. Die sind dann mit Mannschaft, die aussem Dorf kam, bis nach Grönland raufgesegelt und von dort aus zurück. Und auf solch einem Kutter, der nach langer Fahrt nun auf der Stör mit der Flut wieder nach Hause kam und den unsere Marie vom Deich weg, frag mich nicht wie, im Sucher gehabt haben muß, sind total scharfe Abzüge entwickelt worden, auf denen du, Taddel, genau zu erkennen warst. Wollt ich dir immer schon erzählen, kannst mir glauben: Als Schiffsjunge mit ner Pudelmütze auffem Kopp. Mann, mußt du Schiß gehabt haben auf hoher See, besonders bei Sturm und Wellengang. Sahst total fertig aus. Wie Spucke. Richtig zum Mitleidhaben. Klar, der Käpten auf dem Walfangkutter ist dein Vatti gewesen, wer sonst!

Na und? Wunder mich überhaupt nicht. Schon als ich klein war, hab ich ganz fest geglaubt, daß er mit ner Harpune, weil ich, wenn er auf Wahlkampfreise durch die Gegend zog, immer nur Kampf mit dem Wal rausgehört hab, und wie er...

Nur komisch, daß dein Vatti auf ner anderen Fotoserie von den historischen Schnappschüssen als was anderes, nämlich als Schiffsbaumeister Junge zu erkennen gewesen ist.

Ist doch logisch, weil er in all seinen Büchern auftritt, mal als Obermacker, mal in ner Nebenrolle, mal so, mal so kostümiert, und manchmal kaum zu erkennen, doch immer, als wenn es um ihn gehen würde, hauptsächlich oder nur nebenbei.

Deshalb saß er auf einem Foto, das Mariechen sogar, was sie sonst nie machte, vergrößert hat, als Meister Junge bei uns im größeren Kachelzimmer der Kirchspielvogtei. Vor sich hatte er das Modell von seinen berühmten Walfangkuttern. Stand auf dem Tisch und sah aus wie eins von den Jungeschen Modellen, die man heute noch im Altonaer Schiffsmuseum besichtigen kann. Mit schwarzem Rauschebart saß er da und hatte ne Zipfelmütze auffem Kopp.

Bestimmt mit Pfeife.

Schon möglich. Aber wir drei standen um ihn rum, diesmal als Lehrlinge von der Werft. Und hinter uns waren alle Kacheln genau zu erkennen, die angeblich alle aus Holland...

Waren Delfter, blauweiße, was man auf den Fotos aus der Box nicht mitbekam. Aber sowas, Paulchen, haste damals nicht wissen können, daß man früher die Kapitäne von den Walfangkuttern mit Delfter Kacheln ausgezahlt hat. Und die haben dann ihren neuen Kutter zum Teil mit Kacheln bezahlt. War ne Art Währung. Hab das in einem Buch gelesen, das vom Walfang handelt. Und so sind die Kacheln in unser Haus gekommen, nehm ich mal an.

Kleben noch heut an den Wänden.

Solche mit Windmühlen drauf und mit Mädchen, die Gänse hüten.

Aber auch solche mit Geschichten aus der Bibel.

Die hat uns, wißt ihr noch, Kamille erklärt, weil die alles wußte, was es an Storys in der Bibel gibt...

Und die olle Marie hat für meinen Vatti jede einzelne von den biblischen Kacheln knipsen müssen, damit ihm der Stoff nicht ausging.

War die Hochzeit zu Kana drauf. Und wie Jakob mit dem Engel ringt. Und was sonst noch los war: Kain und Abel, der brennende Dornbusch. Und die Sintflut natürlich, weil der Alte solche Horrorgeschichten dringend gebraucht hat, für sein Rattenbuch nämlich, in dem...

Kann man nur staunen, Atze, was die drei auf dem Dorf alles erlebt haben, während ich auffem Bauernhof nur mit Kühen, morgens und abends mit Kühen zu tun hatte...

Oder ich in Köln auf der Berufsschule...

Doch für mich ist das keine Spur okay gewesen. War eher öde, was in dem Kaff ablief...

Aber Taddel und Paulchen hatten sich dorfmäßig ganz gut eingelebt. Kam mir jedenfalls so vor, wenn ich, was selten klappte, übers Wochenende kam, weil mir mein Meister ausnahmsweise freigegeben hatte.

Auf Dorffeste sind wir gegangen.

In Wilster gabs sogar Kirmes.

Und ne Disco, in die ich später...

Da hättste dabeisein sollen, Nana, weil es auf dem Rummel sogar ein total altmodisches Kettenkarussell...

Jadoch, warum biste nicht mal auf Besuch...

Weil...

Dann hättste mit deinem Papa zehnmal rundum...

Weil ich...

Und unser Mariechen hätt euch beide bestimmt mit ihrer Box...

Ging leider nicht, weil...

Hättste Händchenhalten können...

Na, weil Kamille...

Oder dein Papa...

Aufhören! Schluß damit!

Aber mir ging es ja gut bei meinem Mütterchen, auch wenn ich mir heimlich manchmal etwas gewünscht habe, das leider nicht in Erfüllung gehen konnte. Hör euch trotzdem gerne zu, wenn ihr erzählt, was euer Mariechen oder die olle Marie, wie Taddel sie nennt, für wunderliche Sachen mit ihrer Fotobox gemacht oder irgendwie gezaubert hat: lauter Schnappschüsse, auf denen Vergangenes wieder lebendig wird...

Was, Atze? Kennen wir! Hat sie schon gemacht, als wir beide noch klein waren. Damals, als Taddel dazukam, und lange bevor Lara ihren Joggi bekam.

Da war an euch, Lena und Nana, noch überhaupt nicht zu denken...

Kein Kuddelmuddel und wer ist mit wem zuerst...

Von innen und außen hat die alte Marie unser Klinkerhaus mit ihrer Agfa-Spezial abfotografiert, damit Vater sehen konnte, wer früher mal hier gewohnt und unterm Dach, wo er jetzt saß, seine Sachen gepinselt hat. War jemand, der später sogar berühmt wurde, und zwar mit

nem besonderen Bild. War ein Marinemaler. Hat soge-
nannte Seestücke gemalt. Dreimaster in voller Beseglung,
aber auch Ozeandampfer. Später meistens Kriegsschiffe,
Panzerkreuzer und ähnliche Pötte, als nämlich der Erste
Weltkrieg losging, worauf sich unsere Flotte und die von
den Engländern in der Nordsee gegenseitig versenkt
haben. Waren Bilder von der Doggerbank und der Ska-
gerrakschlacht, wobei ne Menge Leute draufgingen. Aber
ein Bild hat er gemalt, das handelte von der Seeschlacht
bei den Falklandinseln. Liegen weit weg, nach Argentinien
runter. Da sah man den Rest von nem deutschen Kreuzer,
»Leipzig« hieß der. Im Hintergrund dampften englische
Pötte. Und vorn stand in den Wellen ein Matrose auffem
Kiel oder ner Planke, die von dem Kreuzer noch übrig
war. Der hielt mit einer oder mit beiden Händen ne Fahne
hoch, die wie die Fahnen aussah, mit denen die rechten
Glatzen heute noch rumlaufen, wenn sie ins Fernsehen
kommen wollen. Hieß »Der letzte Mann«...

Und an genau dieses Bild konnt sich Mariechens Agfa-
Spezial erinnern...

Logo! Weil ihre Box hintersichtig gewesen ist.

Weiß noch, wie sie zum großen Fenster hin nach vorn
geknipst hat, doch dabei über die Schulter geguckt hat...

Und ähnlich verdreht stand sie manchmal bei uns im
Dorf auf dem Deich und hat, mit dem Kasten nach vorne,
hinter sich geguckt, als wär da Vergangenheit und vorne
nur Luft. Sah absolut schräg aus.

Jedenfalls konnte unser Vater nachher auf Abzügen
sehen, wie das Bild auf der Staffelei stand, weil es noch
nicht fertig war. Davor stand der Maler mit ner Palette
und Pinseln in den Händen. Dahinter sah man das große
Fenster von Vaters Atelier. Und ob ihrs glaubt oder nicht,

daneben stand jemand, der ne Uniform mit viel Lametta dran trug, dazu einen gezwirbelten Bart...

Und von diesem Typ hat Mariechen, als wir sie fragten, »Wer issen das?«, gesagt, »Das ist olle Wilhelm, der Kaiser von damals.«

Als ich Vater gefragt hab, hat er – weiß ich noch – »Stimmt, was Marie euch erzählt« gesagt, »früher ging hier der Kaiser ein und aus. Ähnliches steht sogar in der Friedenauer Stadtchronik. Oben bei mir unterm Dach hat Wilhelm Zwo den Marinemaler Hans Bohrdt besucht. Und vorm Haus stand als Wache nur ein einziger Polizist mit Pickelhaube.«

Sogar den hat sie mit ihrer Spezialoptik wiederbelebt. Konnt man sehen, wie er stramme Haltung annahm, als Majestät geruhten, unser Haus zu verlassen.

Der Maler soll viel später, nämlich im nächsten Weltkrieg, als sein anderes Atelier, das er draußen in Dahlem hatte, abgebrannt ist, ganz trübsinnig geworden sein. Starb bald danach, arm und vergessen in einem Altersheim.

Der olle Kaiser aber soll dem Maler Ratschläge gegeben haben: »Da muß noch ne Schaumkrone auf die Welle« oder so ähnlich. Weshalb der Maler – wie hieß er noch?, richtig – sein Bild immer noch ein bißchen verbessert hat. War zu sehen, wenn man verglich.

So genau konnt sich ihre Box erinnern.

Vielleicht war das Besondere, daß sie nicht nur Wünsche erfüllte, sondern computermäßig alles Vergangene speichern konnte, selbst wenn es damals noch keine Festplatten und Disketten gegeben hat.

Hab deshalb Mariechen gelöchert: »Was steckt denn Besonderes drin in dem Kasten?« Ist aber mit keinem

Wort drauf eingegangen. »Will ich nicht wissen, Pat. Issen Rätsel. Basta!« hat sie gesagt, »Hauptsache, daß meine Box sieht, was gewesen ist und was sein wird.«

Denn was hinterher alles in unserem Haus passierte, hat die Agfa-Spezial genau so gewußt, daß nämlich im nächsten Krieg durchs Dach Brandbomben eingeschlagen sind, die von den Engländern oder den Amis jede Menge abgeworfen wurden, bevor sie mit Luftminen und Spreng-bomben alles plattgemacht haben.

Sind aber rasch gelöscht worden, so daß unser Vater, als er das Klinkerhaus gekauft hat, nur paar angekohlte Fußbodendielen mitten in seiner Werkstatt erkennen konnte.

Aber die Agfa-Spezial hat mal wieder ne richtige Rück-blende geschafft...

Stimmt. Konnt man sehen, wie die Brandkörper...

Waren Stabbrandbomben.

...sag ich ja, noch flackerten und wie jemand – war ein anderer Maler, der nach dem Marinemaler oben seine Bil-der gepinselt hat – mit Sand aus nem Eimer das Feuer...

War zuviel Qualm drumrum, so daß man den Mann mit dem Sandeimer nicht erkennen konnte. Doch dann, weiß ich noch, hat unser Vater bestimmt zum hundertsten Mal die Story gebracht: »Mußt dich nicht wundern, Jorsch, wenn die Box zeigt, was passiert ist. Die hat noch anderes überlebt: Totalschaden, als das Fotoatelier von unserer Marie abbrannte. Nicht nur ihre Dunkelkammer, der ganze Kram, der ihr und ihrem Hans...«

Und dann kam immer: »Hans hat damals an der Front mit seiner Leica mal hier mal da fotografiert, was grad aktuell war. Zuerst Blitzkriege und Vormärsche, später nur Rückzug...«

Die Leica gabs ja noch. Und genau so die Hasselblad…

Die konnten aber nicht rückwärts oder voraus gucken wie ihre Box. Habt ihr doch erlebt, ich immer wieder: zuerst mit meinem Meerschweinchen, dann mit meinem Joggi. Sogar für Lena, als die alte Marie aus ihr eine komische Figur auf der Bühne machte. Dabei hast du viel lieber was Tragödienmäßiges spielen wollen, mit Tränen, Verzweiflung und so…

Für Jasper und Paulchen muß es schrecklich gewesen sein, als sie das Schiff geknipst hat, das später bei hohem Wellengang…

…wie es für mich fürchterlich war, als sie mir meine Bühnenzukunft als komische Alte… Nö! Seh mich ganz anders… Zum Beispiel…

Doch mein Mütterchen und ich haben, wie ihr mit dem untergegangenen Schiff, auch Zukünftiges erlebt, das aber wunderschön gewesen ist. Etwas, das man sich nur wünschen konnte, denn selbst wenn wir euer altes Mariechen erst gegen Schluß erlebt haben, und zwar nur dann, wenn mein Papa viel zu kurz auf Besuch kam und sie mitbrachte, hat sie uns doch vor Augen geführt, was ihre Fotobox, die ja nicht nur hintersichtig gewesen ist, alles vorauswußte. So sind wir einmal zu viert bei schönstem Sonnenschein an der Mauer entlangspaziert, die damals schon auf unserer Seite ganz bunt bemalt war mit Krakelschrift, merkwürdigen Symbolen und absurden Figuren drauf. Bis zu der Stelle sind wir gelaufen, von der aus gesehen gleich hinter der Mauer das obere Stück vom Brandenburger Tor ragte. Aber erst als wir weiterliefen, hat euer altes Mariechen uns drei, mein Mütterchen, meinen Papa und mich in der Mitte, wie ich es mir immer gewünscht habe, direkt vor die buntbemalte Mauer gestellt, hat dann die Fotobox weit vor sich gehalten und uns geknipst und geknipst, wobei mein Mütterchen immer wieder hat lachen müssen. Und dann? Oh Wunder! Als er bei seinem nächsten Kurzbesuch uns gezeigt hat, was dank der Fotobox möglich wurde, sahen wir, daß auf allen Schnappschüssen – unglaublich! – die Mauer kaputt war. Und zwar auf jedem ein Stückchen mehr, bis man uns drei auf dem letzten Schnappschuß – ich in der Mitte – vor einem Spalt sah, breit wie ein Schrank, der an beiden Seiten zackig gehauen war und aus dem krummgebogene Eisenstäbe ragten. Durch den Spalt aber und an uns dreien vorbei konnt man ganz ungehindert über den Todesstreifen gleich hinter der kaputten Mauer und weit nach Osten gucken. Da staunt ihr, nicht wahr? Doch Taddel weigert sich, sagt bestimmt »Mogelpackung« dazu, Jasper genauso. Haben wir gleichfalls nicht glauben wollen, so fröhlich wir auf den Knipsfotos aussahen. Denn im Prinzip war es politisch oder rein machtmäßig, wie Lara sagen würde, noch lange nicht soweit. »Zu schön, um wahr zu sein«, hör ich noch immer mein Mütterchen sagen. Leider hat mein Papa alle Fotos wieder mitgenommen. »Fürs Archiv«, hat er behauptet. »Brauch ich für später, wenn es endlich soweit ist.« Als aber nach einigen Jahren die Mauer in Wirklichkeit – und mit ihr noch viel anderes – weg war, und als es euer altes Mariechen mit ihrer Fotobox auch nicht mehr gab, hat mein Papa, der damals schon das Buch im Kopf hatte, das von der kaputten Mauer und einem weiten Feld dahinter handeln sollte, zu mir gesagt: »So war das, Nanakind. Unser Mariechen glaubte an ihre Box, weil die wußte, was gewesen ist und was sein wird und was man sich sonst noch so wünscht, zum Beispiel die Mauer weg...«

Muß sie im Suff geknipst haben.

Wird passiert sein, als es mit ihr schon bergab ging.

Wann fing sie denn an zu trinken?

War heimlich schon immer ne Schnapsdrossel...

Hat womöglich die Buddeln in ihrer Dunkelkammer versteckt.

Stimmt überhaupt nicht, sagt Kamille.

Kann mir auch kaum vorstellen, daß unsere alte Marie süchtig und zwar alkoholmäßig...

War sie aber.

Und wenn Taddel sich getraut hat, zu fragen, »Na, Mariechen? Wieder mal ein Gläschen über den Durst?«, bekam er zu hören: »Ich doch nicht! Keinen Tropfen. Was denkst du dir bloß, du Rabenaas!«

Ganz anders sieht das der Vater: Geliebt hat sie euch, nicht nur Paulchen. Für Taddels Leiden wußte sie auf geknipstem Kleinformat Auswege zu finden. In Hauptrollen glänzte Lena zukünftig auf großen und kleinen Bühnen. Schon fast erwachsen war Pat auf einer Fotoserie zu sehen, wie er immer wieder in den Osten rüber Teile von einem Kopiergerät – was dort laut Gesetz verboten war – transportiert hat. Jadoch, für Flugblätter! Besorgt um ihn, um euch alle ist sie gewesen. Sogar die tückische Nadel in Nanas Bein, das immer wieder vergeblich operiert wurde, hat sie zu finden versucht, doch leider... Und als Jorsch anfing, an seinen Fingernägeln zu knabbern...

Ich aber habe euch geschont. Hab Mariechen verboten, auch nur eines von den gruseligen Fotos zu zeigen, die sie, zugegeben auf meinen Wunsch, von beiden Schlafschränken, den sogenannten Alkoven, geknipst hat. Denn bis ins siebzehnte Jahrhundert zurück konnte ihre Box nachweisen, wer alles in den muffigen Kisten, mal mit angewinkelten Beinen, mal halb sitzend, geschlafen hat, einige mit Häubchen und Schlafmützen, ohne aufzuwachen, erkaltet: verhutzelte Weiblein, zahnlose Greise, auch früh verkümmerte Kinder, die sich die Schwindsucht, später die Spanische Grippe geholt hatten. »Nein«, sagte ich zu Mariechen, »diese Schnappschüsse taugen nur für internen Gebrauch, die vielen Leichen.«

Und nicht mal Paulchen, der als Dunkelkammergehilfe mehr wußte, als er jetzt zugeben will, hat die Alkovenserie im Entwicklerbad gesehen. All die Todschläfer: Kirchspielvögte und deren Weiber, den Schiffsbauer Junge, zuletzt dessen Tochter Alma. In ihrem Laden waren nicht nur für Lena, Mieke und Rieke, sondern für alle Dorfkinder auch Lakritzstangen und Kandiszucker für Pfennige käuflich…

Aber euch reicht das nicht oder ist euch zuviel. Ja, Kinder, ich weiß: Vater sein ist nur eine Behauptung, die sich andauernd selbst zu bestätigen hat. So muß ich lügen, damit ihr mir glaubt.

Krummes Ding

Es waren einmal. Doch nun sind sie unwiderruflich erwachsen und steuerpflichtig, zählen, wie Pat und Jorsch, graue Haare, werden, wie Lara, wenn auch nicht allzubald, Großmutter sein, haben, wie Jasper, Probleme mit zu eng gefügten Terminen, sitzen aber doch alle acht bei Lena, die diesmal – zwischen zwei Theaterauftritten – eingeladen hat: »Extrem viel Zeit bleibt nicht, wenn wir vor Mitte Oktober zu Potte kommen wollen.«

»Und dann soll auch noch alles unter Papas Regie laufen. Er denkt sich uns einfach aus!« ruft Nana.

»Und mir legt er Wörter in den Mund, die absolut nicht meine sind«, beklagt sich Taddel.

Fast sieht es so aus, als wollten sich einige der Geschwister verweigern – Pat spricht von Boykott –, doch dann sagt Jorsch, »Laßt doch den Alten...«, und Paulchen stellt »total irre Dunkelkammergeschichten« in Aussicht.

Lenas Kreuzberger Mietwohnung ist in der vierten Etage eines sanierten Altbaus zu finden. Voraussichtlich wird es um Jasper, Paulchen und Taddel gehen, dennoch reisten Lara und Pat von weither an. Nana hat sich freigenommen, weil, wie sie sagt, »es immer wieder schön ist, lauter alte Geschichten zu hören, bei denen ich selbst allzugern dabeigewesen wäre«. Jorsch ist mit neuen Bedenken zur Stelle. Gerüstet mit technischen Details, stellt er die Box in Frage: »Verrückt ist daran, daß die alte Marie nicht mit der weit höherwertigen Agfa-Spezial, sondern –

bin sicher – mit dem simpelsten aller Kästen all das Zeug geknipst haben wird, nämlich mit der sogenannten Preis-Box. Hieß so, weil sie nur vier Reichsmark gekostet hat. Kam zweiunddreißig, während der Weltwirtschaftskrise auf den Markt. Ging aber trotzdem mit annähernd neunhunderttausend Exemplaren über die Theke.«

Etwas umständlich erklärt er die Werbung der Firma Agfa, nach deren Regeln der potentielle Käufer Markstücke mit den Prägeortkürzeln A-G-F-A sammeln mußte, um zum Billigpreis in den Besitz des Kastens zu kommen. »Die Leute standen Schlange!«

Daraufhin meldet Taddel grundsätzlich Zweifel an: »Egal womit sie geknipst hat, hinterher hat sie getrickst und gemogelt, bis wir glauben, dran glauben mußten.«

Dem folgt Schweigen, das Pat aufhebt, indem er wissen möchte, warum Nana paar Jahre nach dem Fall der Mauer die Schule gewechselt habe, »und zwar von West- ausgerechnet nach Ostberlin rüber? Und um Hebamme zu werden, biste dann noch zu den Sachsen nach Dresden gegangen.« Einer der Söhne – ist es Taddel oder Jasper? – kann sich nicht verkneifen, daraus den Schluß zu ziehen: »Bist ne richtige Ossifrau geworden.« Und Nana antwortet: »Im Prinzip schon.«

Mit reich bestückter Käseplatte, Oliven und Walnüssen, dazu vielerlei Brot, hat Lena den Tisch gedeckt. Paulchen entkorkt Weißweinflaschen. Alle acht, die ab jetzt nicht mehr erwachsen sein mögen, wollen zugleich beginnen.

Und wann endlich bekam unser Vater die Ratte geschenkt?

Zum Geburtstag etwa?

Soll sich schon lange eine gewünscht haben.

Viel schlimmer! Unterm Weihnachtsbaum saß sie in ihrem Käfig.

Und zu mir hat mein Papa gesagt: »Gewiß ist, daß die Ratten uns, das Menschengeschlecht« – so hat er sich ausgedrückt – »überdauern werden...«

»...weil diese Nager selbst auf dem nuklear verseuchten Bikini-Atoll noch lebensfähig...«

Kennen wir, seine Sprüche!

Aber nicht Marie, Kamille hat ihm endlich die Ratte besorgt.

Und mit ihrer Agfa hat dann, kaum stand der Käfig in seiner Werkstatt...

Ist ja gut, Paulchen! Die Ratte kann warten, auch wenn das Viech absolut spitze gewesen ist. Laß erstmal Jasper erzählen, wie ihm die olle Marie auf ne Weise, die absolut tricky war, auf die Schliche gekommen ist.

Red ich ungern drüber. Kam nicht richtig an im Dorf. War niemand da, mit dem ich vernünftig, na, über Bücher, Filme und so... Auch mit euch nicht. In der Schule lief es ja einigermaßen, aber sonst: tote Hose. Ihr hattet ne Menge Freunde, richtige Kumpel darunter. Sogar die Dorffeste fandet ihr witzig.

Und Taddel hatte ne Braut, die echt nett war...

Und auf dich, Paulchen, haben an der Bushaltestelle, genau unserem Haus gegenüber, immerzu Mädels aus Glückstadt gewartet, waren hübsche dabei.

Gackerten wie die Hühner, waren verrückt nach dir.

Was unser Paulchen nicht gekümmert hat.

Bist ganz cool an denen vorbei.

Warst sowieso immer mit deinem Hund übern Deich unterwegs. Paulchen und Paula an der Stör lang Richtung Uhrendorf, Beidenfleth...

Schilfkolben hat er geschnitten und am Fährenanleger, Stück für zehn Pfennig, an Fahrgäste verkauft.

Oder er steckte im Haus hinterm Deich bei Mariechen, die ihn ohne Gemecker in ihre Dunkelkammer ließ.

Und dann kams schlimm, als nämlich die alte Schachtel auf uns aufpassen sollte, weil mein Vatti mal wieder ne große Reise machen wollte, nach China, Thailand, Indonesien, auf die Philippinen, sonstnochwohin, zum Schluß nach Singapur...

Dazu hat er sogar Kamille überreden können.

Muß gewesen sein, bevor er die Ratte bekam.

Übern Monat und länger waren die beiden weg...

Klar, die Ratte gabs noch lange nicht, höchstens im Kopf von meinem Vatti als Wunsch.

War das ein Theater, bevor sie abfuhren.

Weiß noch, wie Frau Engel, die bei uns putzte, vom Telefon aus immerzu geschrien hat: »Aus China! Mein Gott, ein Anruf aus China direkt!«

Lief total aufgeregt durchs Haus.

Hat nach Kamille gerufen: »Schnell, bitte, kommen Sie schnell. Jemand Wichtiges ruft aus China an.«

Dabei ist es nur der Botschafter gewesen, der nebenbei noch Schriftsteller war und sich nun wünschte, daß mein Vatti ihm unbedingt eine Leberwurst mitbringen sollte, weil es in China, klar doch, nirgendwo echte Leberwurst gab.

Hat dann der Dorfschlachter eingeschweißt, der ja bekannt gewesen sein soll für seine Leberwürste, sogar zwei geräucherte, ziemlich lange...

Und die gingen mit auf die Reise?

Womöglich zwischen Socken und Hemden verpackt?

War so. Und der Schlachter bekam später einen Brief mit nem feinen Briefkopf von der Botschaft in Peking als Dankschreiben geschickt.

Hing dann gerahmt hinter Glas im Laden, gleich neben dem Meisterbrief.

Und unser Mariechen hat die Würste, kurz bevor sie auf Reise gingen, paarmal mit ihrer Agfa, weil der Alte…

Paulchen mußte sie ihr mal so, mal so legen. Nebeneinander, überkreuz. Ganz nah ging sie ran mit der Optik, kroch übern Tisch…

Wobei mein Vatti gesagt hat: »Bin gespannt, was die Würste uns zu erzählen haben.«

Und beim Knipsen hat sie was Unverständliches gemurmelt. Hörte sich wie Chinesisch an.

Aber aufpassen auf uns drei, das hat die olle Marie nicht geschafft.

Einmal schmiß sie nach Taddel, weil der angeblich frech gewesen war, mit nem Schuh. »Rabenaas! Du Rabenaas!« hat sie geschrien.

Sowas kam immer, wenn sie Zoff hatte mit dir, weil du mal wieder zu spät…

Konnte total ausflippen.

Fing klammheimlich zu trinken an.

Haben uns aber nichts anmerken lassen, wenn sie drei Gläschen zuviel.

Und ich hab sowieso nur noch gelesen in meiner Bude, was immer ich kriegte. Oder war weg in Glückstadt, wo ich nen Kumpel hatte, der zwar krumme Dinger drehte, aber sonst ganz okay…

Wie hießen der?

War älter als ich. Name tut nichts zur Sache. Hat mir imponiert, weil der vor nix Schiß hatte. Nein, Pat! Sag ich doch: tut nichts zur Sache, der Name. Jedenfalls hatte das Folgen, weil nämlich mein Kumpel und ich…

Aber erstmal kam mein Vatti mit Kamille von der Reise zurück. Gab Geschenke für jeden. Weißnichtmehrwas.

Doch Mariechen hat nicht gepetzt, müßt ihr zugeben, na, von dem, was inzwischen schiefgelaufen war. Besonders mit Taddel und mir, Schulkram und so.

Stimmt, hat dichtgehalten, die Alte.

War in der Beziehung okay.

Nicht mal spitze Bemerkungen über meine Braut aussem Dorf. Die hatte Eltern, die nie verreist sind und absolut normal… Ganz anders als mein Vatti. Der kam aus China mit ner schrägen Idee zurück, die er sich ausgedacht hatte. Hieß dann auch »Kopfgeburten«, das neue Buch, mit dem er gleich anfing. In dem ging es darum, daß wir Deutsche keinen Bock mehr aufs Kinderkriegen haben und deshalb nach und nach aussterben, während es in China und sonstwo in der Welt Kinder genug, sogar viel zu viele gibt. Sollte ein dünnes Buch werden.

Jedenfalls hat er dafür unsere Marie kaum gebraucht.

Konnt er sich selber ausdenken, so daß es für sie ne Zeitlang nichts zu knipsen gab.

Kann aber doch sein, daß die Fotos von den Leberwürsten, die sie für die Reise nach China bestimmt fertig entwickelt hatte, schon rein stoffmäßig genug für sein neues Buch hergaben, denn aus den Würsten hat er…

Jedenfalls war Mariechen nun arbeitslos. Lief immer nur auf dem Deich rum. Hatte zwar ihre Agfa umgehängt, hat sogar geknipst manchmal, aber bloß Wolken und bei Schönwetter ins Blaue hoch, wo sonst total nix war.

Ging mit ihr weiter so, weil mein Vatti, als er mit seinem Buch, in dem die fotografierten Leberwürste ne absolut wichtige Nebenrolle spielen, bald fertig war, worauf er erstmal eine lange Pause eingelegt hat...

Waren wir nicht gewohnt, auch Kamille nicht.

Kam uns unheimlich vor, wie er da hockte im Haus hinterm Deich und nur noch Figuren aus Ton...

Hat bloß noch gegrübelt.

Vielleicht, weil er schon damals geahnt hat, was auf uns zukommt, rein klima-, atom- oder sonstwie zukunftsmäßig, mein ich...

Zog sich jedenfalls hin die Pause. Übern Jahr lang und länger, während bei mir alles, was mit Schule zu tun hatte, wieder mal schieflief. Blieb sitzen, mußte nach Wilster auf die Realschule, wo ich...

Bist aber trotzdem Lehrer geworden, bevor du zum Film bist, womöglich, weil in der Penne bei dir...

...und Taddel uns beweisen wollte...

Sollst als Lehrer sogar richtig beliebt gewesen sein: streng, aber gerecht!

Ne Zeitlang wolltest du – was sich bis zu mir auffem Bauernhof rumgesprochen hatte – Polizist werden. Doch da soll eure Kamille gesagt haben: »Und was machst du, Taddelchen, wenn hier, weil ganz in der Nähe das Atomkraftwerk hingebaut wird, wir alle zusammen über die Äcker laufen und protestieren? Na, all deine Brüder: Jasper, Paulchen, bestimmt auch Pat und Jorsch? Dann kommst du und verhaust uns mit deinem Gummiknüppel?«

War nicht drin bei mir, absolut nicht. Auch wenn ich damals nix gegen Atomkraft... Kam dann auf die Idee, Hotelfachmann zu lernen. Hab ich sogar versucht.

War das ein Theater, als Taddel nach München abfuhr.

Auf dem Bahnhof in Glückstadt hat er noch so getan, als wär alles okay mit ihm. Unsere Marie ist dafür extra, was sie nur selten noch tat, mit ihrer Box gekommen und hat dich, genau als du in den Zug eingestiegen bist, paarmal geknipst, aus der Hocke raus.

Und wie der Zug abfuhr, lief sie ihm hinterher, knipste im Laufen noch…

Und nachgerufen hat sie dir: »Bist zwar ein Rabenaas, aber wirst mir fehlen, mein Taddelchen!«

Lauter Abschiedsfotos!

Bekamen wir aber keines zu sehen.

Nicht mal ich. Muß was Schlimmes, ne totale Katastrophe in Fortsetzungen gewesen sein, was ihre Agfa vorausgewußt hat.

Und richtig, kaum war unser Taddel paar Tage weg, da kamen Briefe, jeden zweiten Tag einer, alle nur an Kamille gerichtet, keiner an seinen Vatti…

Die waren total von Tränen verkleckert, so sehr haste Heimweh gehabt…

Ach, du Armer!

Muß wohl zu extrem gewesen sein, die Umstellung.

Nu guckt mal: gleich weint Nana, nur vom Zuhören, weil unser Taddel…

»Will nach Hause, nach Hause«, haste gejammert, wie später E.T. im Kino. Na, dieser Knautschzwerg, der immer telefonieren wollte.

Der Alte hat zwar gemeint: »Das gibt sich. Da muß er durch«, aber dann war selbst für ihn okay, was Kamille schon längst beschlossen hatte: »Unser Taddel muß zurück. Ist überhaupt nicht gespielt, sein Heimweh. Braucht Familie.« Und sogar Marie, die ja oft Zoff mit dir gehabt hat, fand das in Ordnung.

Haben wir gefeiert, als er dann kam.

Ach, muß das schön gewesen sein.

Bin aber, als ich zurückgedackelt kam, ziemlich depri gewesen...

Ach was! Total froh warste, als du nochmal zur Schule konntest...

...auch wenn dir das bald wieder gestunken hat...

Genau wie mir. Darin waren wir ähnlich.

Nur Jasper hat null Probleme mit dem Schulkram gehabt.

Hast aber trotzdem Ärger gekriegt.

Wieso? Und mit wem denn?

Nun komm schon rüber mit deiner Story vom Kumpel in Glückstadt.

Erst noch die Ratte, denn die blöde Sache mit mir und meinem Kumpel kam sowieso erst Wochen nach Weihnachten raus. Vorher lief alles okay. Taddel war wieder da, Paulchen stromerte im Dorf rum oder war bei Marie. Kamille hatte mit Geschenken zu tun. Sollte nämlich ne Überraschung werden. Und richtig, unterm Weihnachtsbaum stand dann endlich, was sich der Alte schon lange gewünscht hatte, und was wir für ne typische Spinnerei von ihm hielten, aber nett, wie wir sein konnten, nur bißchen belächelt haben, nämlich der Käfig mit ner ausgewachsnen Ratte drin.

Und wo hat eure Kamille die aufgetrieben?

Wohl kaum in einer gewöhnlichen Tierhandlung, wo es Hamster, Singvögel, Goldfische, bestimmt Laras Meerschweinchen, vielleicht sogar weiße Mäuse mit roten Augen gab, doch niemals...

Bei einem Schlangenzüchter, hat sie gesagt, in Gießen, der als Schlangenfutter für den Tagesgebrauch nebenbei Ratten gezüchtet hat.

War nur ein Transportproblem.

Jedenfalls hat die Ratte, die ganz friedlich in ihrem Käfig saß, den Alten wieder zum Schreiben gebracht. Schluß mit Pausemachen und Vorsichhingrübeln.

Und gleich darauf ist unser Mariechen mit ihrer Agfa auf Motivsuche gegangen.

Aber Paulchen, der nun, wie schon vorher, in ihre Dunkelkammer durfte, hat davon kein Wort über die Lippen gebracht, nur, daß auf den Fotos, die die olle Marie von dem Viech knipste, immer mehr Ratten rumliefen.

Hatte Taddels Vatti verhängt: totale Informationssperre. Aber jetzt darf ich ja: auf allen Abzügen – waren enorme Stapel – sind ganze Rattenvölker drauf gewesen, sogar Viecher wie aus Horrorfilmen, halb Ratte, halb Mensch…

…die hat der Alte dann abgezeichnet oder mit nem Stichel in Platten geritzt, wie sie liefen, sich eingruben, auf den Hinterbeinen standen, immer mehr, und dann zur Hälfte Ratte, zur Hälfte Mensch wurden, was alles in sein Buch reingekommen ist, das wieder mal ziemlich dick…

Sollten wir aber nicht drüber reden.

»Issen Geheimnis«, hat Paulchen gesagt.

Nicht nur Ratten kamen drin vor. Marie hat nämlich extra für ihn einen abgetakelten Ewer geknipst, den die Werftarbeiter bei uns im Dorf zur Reparatur aufgebockt hatten. War total runtergekommen. Hätt man glatt abwracken können.

Doch auf den Fotos, die in der Dunkelkammer rumlagen, soll der Kahn dann – was mir Paulchen geflüstert hat – ganz okay ausgesehen haben und wie neu mit vier Frauen an Bord in der Ostsee rumgeschippert sein, überall, zum Schluß vor Usedom, wo es viele Quallen gab, die sogar singen konnten…

Und eine der Frauen an Bord hatte ne gewisse Ähnlichkeit mit Kamille, die, klar doch, der Kapitän von dem Ewer war. Eine andere konnte man als die Mutter von Taddel erkennen. Und – bin mir sicher, Lena und Nana – die dritte und vierte Frau waren euren Müttern ähnlich. Eine von ihnen, weißnichtmehrwelche, ist für die Maschine von dem Kutter zuständig gewesen, die andere für Quallenforschung, weil nämlich...

Wenn ich richtig verstehe, handelt es sich um ein Weiberschiff, das die Preis-Box von der alten Marie...

Noch mal, Paulchen: mannschaftsmäßig waren an Bord von dem Kutter also nur Frauen, mit denen unser Väterchen mal was gehabt hat oder noch immer hatte...

...und unsere Mutter mittenmang!

Kann ich kaum glauben: mein Mütterchen auf einem Schiff, und dann auch noch unter Kommando von eurer Kamille...

Hättet ihr nachlesen können in Papas Rattenbuch, wie die Geschichte zum Schluß hin leider extrem schlimm ausging, als sich die vier Frauen noch einmal festlich gekleidet und ihren Schmuck angelegt hatten, weil sie auf dem Meeresgrund die sagenhafte Stadt Vineta als letzte Zuflucht...

Nix hab ich gewußt. Nix von der Ratte unterm Weihnachtsbaum. Nix von Vaters vier Frauen auf einem Kutter oder Ewer von mir aus. War ja weit weg. Hatte zwar die Lehre auf nem Schweizer Bauernhof, dazu noch die Landwirtschaftsschule in Celle hinter mir, war inzwischen auf nem Ökohof in Niedersachsen für die Milchproduktion zuständig und auf meine Art politisch geworden, hatte aber keinen Schimmer von dem, was bei euch im Programm stand, mit Ratten und so. Auch du, Jorsch, hast

kein Wort von Ratten, die geklont und als Rattenmen-
schen… Dabei warste nach deiner Lehre in Köln längst in
der flachen Gegend da oben, wo unser Vater mit seiner
Kamille und den drei Jungs…

Mußte verstehen, Atze! Kam so: als ich ausgelernt hatte
beim WDR, nahmen die mich nicht. Hatte Einstellungs-
stopp der Sender. War Fakt, nicht zu ändern. Hing ne
kurze Zeit rum. Da hat mir unser Vater angeboten, zu
euch aufs Land zu kommen. »Wär gut für deinen kleinen
Bruder«, hat er geschrieben, »Taddel braucht dich.« Und
weil Vater wieder mal ein Haus, diesmal einen Resthof in
der Krempermarsch, gekauft hatte, hab ich mir gedacht,
mal ne andere Gegend, bin in das Straßendorf nach Els-
kop auf der anderen Seite der Stör gezogen und war nun,
genau wie mein Atze, ein richtiges Landei. Vor dem Resthof stand ne große Blutbuche. Und einen Haufen leere
Ställe und Scheunen gabs. Da hab ich in einer Wohngemeinschaft gehaust. Und als Boß gabs ne Frau, die immer
wußte, was Sache ist oder sein sollte. War wie Familie für
mich, was ich lang nicht gehabt hatte. Und wenn ich mit
der Fähre über die Stör rübermachte und zu euch auf
Besuch kam, wollt ich nicht nur dich, Taddel, besuchen,
sondern guckte mir in der Werkstatt von Vater die Ratte
im Käfig an. Klar, auch die alte Marie, die mir klein und
verhutzelt vorkam, geschrumpft irgendwie. Hat sich,
glaub ich, gefreut und »Na, Jorsch« gesagt, »bist ja mächtig
gewachsen.« Und dann hat sie mich, weil ich Haare bis
über die Schultern lang trug, zusammen mit der Ratte
geknipst. Bin mir zu neunundneunzig Prozent sicher, daß
es die Preis-Box für vier Reichsmark von zweiunddreißig
gewesen ist, mit der sie… Und die Ratte war eine braune,
keine weiße fürs Labor. Konnt mir schon denken, was

dabei rauskommen würde. Sowas waren wir ja gewohnt – was, Atze? – von klein an. Doch erzählt, was Sache war, hat sie keinem von uns.

Mir auch nicht, als ich zu euch auf Besuch kam. Gleich nach Schluß meiner Töpferlehre bei dem Meister am Dobersdorfer See, der von seinen Lehrlingen verlangte, daß sie kein Geheimnis hatten. Weshalb er mich zwingen wollte, laut aus meinem Tagebuch vorzulesen, und zwar morgens beim Frühstück schon, wenn alle um den Tisch rumsaßen. Hab mich geweigert, doch mit keinem, nicht mal mit Kamille und schon gar nicht mit meinem Väterchen darüber gesprochen, weshalb ich weg nach Kappeln an der Schlei bin, wo ich einen anderen Meister fand und wo meine Lehre dann ganz normal zu Ende ging. Fand sogar Arbeit in einem Kaff in Hessen, wo es aber zu fabrikmäßig... Hab nur noch Massenware gedreht, weshalb ich dann wieder nach Berlin bin, wobei ich mich beim Umzug sofort in einen Studenten verliebt hab, der beim Möbelpacken geholfen hat. Aber darüber – ich mein, was daraus wurde – red ich nicht gern. Können später mal meine Kinder erzählen, falls sie Lust dazu haben: wie anfangs ehemäßig alles ganz lustig, dann aber schief ging – nein, Lena, red ich wirklich nicht drüber –, und wie ich viel später noch mal geheiratet hab, und alles besser wurde. Aber von der Ratte, und was mein Väterchen mit ihr vorhatte, wußte ich kaum was, weil von ihm, selbst wenn er nach Friedenau kam und mich besucht hat, davon kein Wort zu hören war. In dem Klinkerhaus wohnte jetzt ein Pärchen, mit dem er eine Zeitschrift gemacht hat, die sich für Sozialismus, aber den demokratisch richtigen, einsetzen wollte. Das Pärchen hat dann Kinder gekriegt. Wird an unserem alten Klinkerhaus gelegen haben, das Kinderkriegen mein ich. Und in der Stadt hab ich mit anderen Töpfern in einer Werkstatt gemeinsam, und mich manchmal mit meinen jüngeren Schwestern…

Ach, ist das schön gewesen, wenn Lara mich besuchte. Ich war ja ein Kind noch und hab dich bewundert, wenn du auf dem Friedenauer Wochenmarkt deine schöne und, wie mein Mütterchen sagte, viel zu billige Töpferware verkauft hast. Aber sonst hatte ich wenig Ahnung von euch, was ihr so getrieben habt auf dem Land. Weshalb ich von der Rattengeschichte nur wußte, daß sich mein Papa schon immer heimlich eine Ratte gewünscht und zu mir gesagt hatte… Aber nichts ahnte ich von dem Schiff voller Frauen, die mal seine gewesen waren oder sind, wie eure Kamille noch immer…

Nicht bloß du, Nana, alle waren ahnungslos.

Weil sogar die alte Marie dichtgehalten hat.

Irgendwas hält er immer versteckt.

Weshalb keiner weiß, was in ihm tickt immerzu…

Absoluter Quatsch, was ihr redet! Sagt er doch selber, wenn man ihn fragt: »Wer sucht, findet mich in kurzen und langen Sätzen versteckt…«

Kann schon sein, daß in jedem Buch von ihm etwas Egomäßiges rauszufinden ist…

Sind deshalb so dick geraten…

…wie das mit der Ratte.

War mir von Anfang an klar, daß es ein total dickes wird, weil nämlich Mariechen immer noch mal in der Dunkelkammer verschwunden ist und ich, nachdem ich mir die Hände mit Seife gewaschen hatte, mitdurfte. Und was ich da sah, war irre. Gabs eigentlich nicht. Endlose Rattenwanderungen, Rattenprozessionen, ne total gruselige Rattenkreuzigung. Jedenfalls keine Menschen mehr,

»nur Ratten noch«, wie Marie sagte, wenn sie die Abzüge aussem Entwickler... War selber geschockt. Aber warum, verratet mir mal, hätt ich Taddel oder Jasper davon erzählen sollen? Hat mir sowieso keiner geglaubt, was die Agfa alles ausspucken konnte. Jasper schon gar nicht. Der glaubte nur, was in seinen Schmökern stand. Als dann aber das krumme Ding, wie er den Bruch nannte, endlich rauskam, weil unser Mariechen mit ihrer Box beweisen konnte, wie euer Ding gelaufen ist, war er zuerst total geschockt, hat dann aber...

Wasdenn! Wasdenn! Hab was wie »krummes Ding« und »Bruch« gehört...

Ist ja spannend!

Nun komm schon rüber, Jasper!

Pack endlich aus!

Von Ratten haben wir mehr als genug...

Okay, okay! Fang ja schon an. Dabei wissen Taddel und Paulchen schon lange, wies dazu kam: ging um Zigaretten. Die hatte ich, waren über dreißig Päckchen, in einem Plastikbeutel unter meinem Bett verstaut. Dachte, die liegen da sicher. Aber dann stieß Kamille, die sowieso immer alles findet, beim Saubermachen mit dem Staubsauger an den Beutel. Und schon ging das Theater los: »Wo hast du die her? Du rauchst doch nicht! Sag schon, sofort, wo du die herhast.« Dann hat sie den Plastikbeutel runter in die Wohnküche getragen und auf den Eßtisch geknallt, so daß paar Päckchen rausgerutscht sind. Und wieder ging die Fragerei los: »Woher? Von wem? Wo?« Hab erstmal zugemacht. Alle standen um den Tisch rum. Kamille, Taddel, Paulchen, stimmt, auch Jorsch war dabei und – klar! – unsere Marie. Blieb immer noch stumm. Wollt ja nicht meinen Kumpel verpfeifen. Ist damals der einzige Freund gewesen, den ich gehabt hab. Der war, sag ich mal, ganz okay, doch anders gestrickt als ich. Hat mir imponiert, wie er sachlich sein Ding gemacht hat, ohne vor wemoderwas Schiß zu haben. Aber Kamille drängte immer mehr, je stummer ich wurde. Da hat Marie, die immer noch mit euch um den Tisch rumstand, auf dem die Zigarettenpäckchen lagen, plötzlich ihre dämliche Box in Anschlag gebracht, und zwar aus ner komischen Position, hintenrum, nen ganzen Film lang draufgehalten und dabei in sich reingekichert. Tja, und dann, kaum schien sie fertig zu sein mit der Knipserei, kam noch der Alte, jadoch, euer Vater, dazu: »Was issen hier los?« Drauf Marie: »Werden wir bald zu sehen kriegen.« Dann hat sie, als ob das nötig gewesen wär, noch einen Film verknipst, mal vom Bauch weg, mal hintenrum, mal lag sie platt auf dem Tisch. Und immer die rausgerutschten Päckchen von allen Seiten. Dann hat sie, weißte noch, Paulchen, zu dir, aber auch zu Kamille gesagt, wobei sie eurem Vater zuzwinkerte: »Bin jetzt schon gespannt, was in Nullkommanix ans Tageslicht kommen wird.«

Nicht die Spur davon kriegten wir zu sehen. Keiner wußte, was die Box von der ollen Marie angeblich aufgedeckt hat. Und du, Paulchen, hast bloß rumgedruckst. »Ist total scharf drauf, wie die beiden…« Und mein Vatti, dem bestimmt die Fotos vorgelegt wurden, hat hinterher nur gelacht: »Alle Achtung! Haben wie echte Profis zugelangt, mit einer Brechstange, nachts. Haben gewußt, wie.«

Jedenfalls hat Jasper – das stand nun mal fest – mit seinem Kumpel, den er aber nicht beim Namen nennen wollte, einen Zigarettenautomaten von ner Glückstädter Tankstelle, die nachts außer Betrieb war, einfach geknackt. War schon irre, wie ihr das geschafft habt. Das heißt, nur dein Kumpel hat, während du, was auf den Abzügen deutlich wurde, nur zugeguckt oder Schmiere gestanden hast. Kam aber niemand. Und so habt ihr zu zweit in aller Ruhe den Automaten... Nein, kein Münzgeld, nur Zigaretten. Waren fünf oder sogar sieben Sorten, weißnichtmehrwelche. Und dann habt ihr halbehalbe gemacht. Konnt man sehen, wie ihr geteilt habt.

Und danach?

Hast bestimmt paar gescheuert gekriegt, oder?

Doch nicht von Kamille!

Ich sag mal: hätt schlimmer kommen können. Mußte nur mit meinem Taschengeld abzahlen, monatelang, was im Grund okay war. Kamille hat das auf ihre Weise geregelt. Lief anonym ab die ganze Aktion. Der Alte aber, na, euer Vater, hat nur gelacht: »Sowas macht unser Jasper bestimmt nie wieder. Schwamm drüber!«

So isser nun mal, mein Vatti. Was war, ist gewesen und fertig. Weiß ich noch, als ich in Friedenau wohnte und vielleicht elf oder schon zwölf war. Damals, als bei uns, wie die olle Marie immer gesagt hat, nur »Kuddelmuddel« herrschte und ich nicht wußte, warum in meiner Familie alles durcheinander... Da hab ich mit meinem Freund Gottfried bei Karstadt in Steglitz paar Sachen geklaut, einen Kamm, einen Taschenspiegel und noch ne Kleinigkeit. Aber der Kaufhausdetektiv hat uns dabei erwischt und gleich die Polente gerufen. Die haben dann mich und Gottfried, der eine Nagelschere im Etui mitgehen lassen wollte, mit Tatütata und Blaulicht zu Hause abgeliefert. Gottfried bekam mächtig Haue von seinem Vater, der eigentlich absolut gutmütig war, aber auch streng. Und ich hab, weil ich ahnte, was Gottfried abkriegen würde, zu meinem Vatti, der ja nie einen von uns verprügelt hat, ganz schnell »bittebitte« gesagt, »tu ganz dicht vorm Fenster bitte so, als wenn du mich richtig verhauen würdest, damit die Jungs, die draußen hinterm Zaun stehen und gucken, was nun passiert, alle denken, daß ich genau wie Gottfried mächtig Haue bekomme.« Und genau das hat er gemacht. Ohne wennundaber. Hat mich vorm Fenster übers Knie gelegt und so getan, als würd er... Zehnmal und mehr. Und weil wir ja, darin anders als bei normalen Familien, keine Fenstervorhänge zur Straße hin hatten, haben draußen die Jungs geglaubt, ich hätte richtig Prügel bekommen. Hab auch geschrien als ob, so daß mein Freund Gottfried, dem alles erzählt wurde, absolut sicher sein konnte, daß mich mein Vatti...

Und was ist aus den Zigaretten geworden, die Jasper mit seinem Kumpel und nem Brecheisen?

Weiß nicht. Bin ja bald weg von euch. War fünfzehn, bald sechzehn, als ich als Austauschschüler für ein Jahr nach Amerika ging, was für mich bestimmt okay war, aber für Paulchen...

Wetten, daß die olle Marie Jaspers Zigarettenanteil nach und nach weggepafft hat?

Kann man sich vorstellen: mit Spitze vorm Frühstück schon.

Mein Kumpel übrigens, mit dem ich den Automaten geknackt habe, ist später, viel später, als ich bei der Bavaria mit Filmproduktion angefangen und ne Familie gegründet hatte, Finanzbeamter geworden, in Elmshorn oder Pinneberg. Aber in Amerika, wo ich bei einer Mormonenfamilie...

Ich jedenfalls blieb mit Taddel im Dorf zurück und wär mir total allein vorgekommen, wenn ich nicht unsere

Hündin gehabt hätte, die damals wieder mal Junge kriegte, acht Stück, die leider der Tierarzt, bis auf zwei, die
überlebten, mitnahm und bestimmt mit ner Spritze...

...bei den Mormonen in Amerika...

Und mein Vatti saß nur noch bei sich im Haus hinterm
Deich, wollte unbedingt sein Buch hinter sich bringen, na,
das mit der Rättin und den vier Weibern auf einem Kahn
und was noch drin vorkam.

Hießen Plisch und Plum, die letzten Jungen von meiner
Paula...

Denn bei den Mormonen ist es Sitte...

Weshalb die olle Marie absolut unterbeschäftigt war.
Fing womöglich wieder zu trinken an.

Haben wir dann verschenkt, Plisch und Plum...

Lief immer nur übern Deich Richtung Hollerwettern
und zurück. Knipste, wenn überhaupt, Wolken und getrocknete Kuhfladen. Und das bei jedem Wetter, gleich ob
Regen, Schnee oder Sturm.

Außerdem ging es mit mir und Taddel in der Schule nur
noch bergab.

Und da hat eure Kamille einfach beschlossen: Los! Ein-
packen! Wir ziehen alle nach Hamburg...

Naja, weil es da angeblich bessere Schulen geben sollte,
solche für Schüler mit Schwierigkeiten...

Weil nämlich bei allen Mormonen...

War ne totale Umstellung für uns und für meinen
Hund sowieso.

Mein Vatti aber, der viel lieber, wenn schon in eine Stadt,
wieder nach Berlin gezogen wär, und zwar ins Klinkerhaus, wurde von uns glatt überstimmt. Mußte als »Demo-
krat«, wie er sagte, nachgeben, was ihm bestimmt nicht
leichtfiel.

Aber für Nana und mich wäre es viel schöner und vielleicht sogar hilfreich gewesen, wenn euer Familienrat beschlossen hätte, wieder in Friedenau...

...jadoch, in unserer Nähe, wie ich es mir immer schon heimlich gewünscht und leider nie laut fordernd gesagt hatte.

Uns hat sowieso keiner gefragt. Wir waren ja, auch wenn das keiner so nannte, außerehelich.

Aber vorher, ich mein, kurz bevor ihr alle nach Hamburg seid, und Jasper nach Amerika zu den Mormonen, ist unser altes Mariechen gestorben...

Und zwar in der Stadt...

Stimmt nicht! Ist total anders gewesen. Habs doch erlebt, weil ich dabei war, wie es passiert ist...

Ach was, Paulchen! Das bildest du dir bloß ein...

Haste geträumt.

Ging ganz normal zu Ende, hat uns Kamille erzählt, die extra deswegen nach Berlin gefahren ist, weil sie bei ihr sein wollte, als es...

Dann wißt ihr bestimmt auch, woran sie gestorben ist, oder?

Weil ihr nämlich alle vom Dorf weg und sie nicht zurückbleiben wollte im Haus hinterm Deich, allein, nur mit der tiefgefrornen Ratte im Kühlschrank.

Aber nein, weil sie altersschwach war, ging es mit ihr zu Ende. War nur noch Haut und Knochen zum Schluß.

»Ein masurisches Handchenvoll«, wie mein Vatti gesagt hat.

Sah aber von weitem, na, wenn sie allein übern Deich, noch immer wien Mädchen aus.

Wollte außerdem schon lange zu ihrem Hans in den Himmel oder »von mir aus in die Hölle«, wie sie mir oft genug...

War Nierenversagen, hat Kamille gesagt.

Ihr tickt wohl nicht richtig, ihr alle...

Jetzt ruft sich der Vater noch einmal Mariechen zurück, bevor er den für sie passenden Schluß sucht: auf Lauer steht sie mit ihrer Box, bereit für letzte Schnappschüsse.

Eigentlich wollte er das Ende wortwörtlich den Kindern lassen, sich nur behutsam überredend einmischen, weil aber alle Töchter und Söhne – voran die Zwillinge – Mariechen anders erlebt und nahbei gesehen haben wollen, Lara besorgt ist, es könnten noch weitere Geheimnisse nackt ans Licht treten, und Nana, weil sie zu lange abseits warten mußte, nachträgliche Wünsche loswerden möchte, werden die Töchter, die Söhne auf verschiedene Weise den Schluß einfädeln; als Vater ist man ohnehin nur fürs Restliche zuständig.

Denn alles soll schmerzlicher, mal mehr, mal weniger peinlich gewesen sein. Doch soviel ist sicher: bis es ein Ende nahm, knipste Mariechen aus gleich welcher Stellung, sogar aus dem Sprung. Und hätte es sie und ihre Box nicht gegeben, wüßte der Vater weniger von seinen Kindern, wäre ihm allzuoft der Faden gerissen, fände seine Liebe nicht durch die spaltweit offene Hintertür – bitte, schlagt sie nicht zu! – und gäbe es keine Dunkelkammergeschichten, auch die rückläufigste nicht, die bislang verschwiegen oder nur angedeutet wurde: wie während der Steinzeit, vor geschätzt zwölftausend Jahren, weil Hungersnot herrschte, auf acht kleinen Fotos die Söhne und Töchter als Horde den Vater – vermutlich auf seinen Wunsch –

mit ihren Äxten, gehauen aus Feuerstein, erschlugen, mit Faustkeilen der Länge nach öffneten, das Herz, die Leber, die Nieren, die Milz und den Magen, dann sein Gedärm herausnahmen, ihn in Teile zerlegten und Stück für Stück über Glut langsam gar und knusprig werden ließen, worauf auf dem letzten der Fotos alle satt und zufrieden...

Vom Himmel hoch

Als zum Schluß Paulchen einlud, kamen alle und pünktlich. Weil er mit seiner Brasilianerin, die gelernt hat, schrille Mode zu entwerfen und auch zu schneidern, in Madrid, also zu weit weg lebt, schlug er vor, in Hafennähe bei einem Portugiesen zu essen. Gemessen an sonstigen Hamburger Preisen sei es total billig dort. Den Tisch werde er vorbestellen.

Jetzt ist es soweit. Sardinen vom Grill gibts. Dazu Brot und Salat. Wer keinen Vinho Verde will, trinkt Bier aus Sagres. Alle bewundern Paulchen, der, so hört es sich an, auf Portugiesisch bestellt. Früh am Abend ist das Lokal nur mäßig besucht. An den Wänden hängen Netze, in denen sich getrocknete Seesterne dekorativ verfangen haben. Nana hat während des Essens die Einzelheiten einer komplizierten Geburt bis ins schweißtreibende Detail erklärt: »Kam dann doch ohne Kaiserschnitt!« Auf Fragen von Lara klagt Lena, woran überall beim Theater gespart werden müsse. »Aber man schlägt sich so durch...«

Nach dem Kaffee – »Oitos bicas, faz favor!« ruft Paulchen dem Kellner zu – imitiert Taddel, dem mit Nanas tätiger Hilfe vor Wochen eine Tochter geboren wurde, drollige Aussprüche seines Söhnchens, das ihm, behauptet Jasper, aufs Haar gleiche. Jetzt wird er allseits bedrängt, noch einmal, »wie früher auffem Dorf«, seine Rudi-Ratlos-Nummer zu bieten, bis er, der eigentlich »keinen Bock darauf hat«, den Ohrwurm bringt und Beifall bekommt.

Nun ist sogar Lara bereit, auf Wunsch und wie in Kinderjahren, »meerschweinmäßig« zu quieken. Nana lacht am längsten, ruft: »Bittebitte, nochmal!« Nur Paulchen bleibt ernst und gesammelt, als müsse er sich auf etwas vorbereiten, das unbedingt raus will, aber noch vor sich hinzögert.

Zum Glück wollen sowieso alle anderen, Pat voran, zu Wort kommen. Während Jorsch zum letzten Mal, wie jeder bestätigt, die Mikrofone stellt, wirft sein Zwillingsbruder die Frage auf, wem von den Geschwistern es besonders lästig gewesen sei, einen berühmten Vater zu haben. Doch niemand will sich als übermäßig geschädigt oder gar Opfer väterlichen Ruhms darstellen. Lara erzählt, wie sie als Kind ein Dutzend Autogramme von ihm verlangt habe: »Hat er mir kopfschüttelnd gegeben, auf zwölf Blatt, dann aber gefragt: ›Sag mal, Tochterleben, warum so viele?‹ Da hab ich gesagt: ›Für zwölf von dir krieg ich eins von Heintje.‹«

Sie kann sich nicht erinnern, ob ihr Väterchen enttäuscht gewesen sei oder gelacht habe über den Tauschhandel. Aber die Heintje-Schnulze, »Mamatschi, schenk mir ein Pferdchen«, habe er zu singen versucht. »Und dann ist er wieder nach oben ans Stehpult zu seiner geliebten Olivetti…«

Mit diesem Hinweis hat Lara ihrem Bruder Pat das Stichwort gegeben.

Ist nun mal so bei ihm. War immer so. »Muß man abarbeiten«, hat er gesagt. Konnte doch jeder von uns mitkriegen, wie er alles, was er erlebt hat, als er noch jung war und kurze Hosen getragen hat, später voll abarbeiten mußte. Die ganze Nazischeiße raufrunter. Was er vom

Krieg gewußt, und wovor er Schiß gehabt und weshalb er überlebt hat. Dann, als nur noch überall Ruinen rumstanden, mußte er sogar die Trümmer und auch den Hunger, den er hatte… Ob oben im Friedenauer Klinkerhaus oder im Dorf in der Kirchspielvogtei und im Haus hinterm Deich, selbst jetzt noch in seinem Behlendorfer Stall, überall, sag ich, kritzelte er vor sich hin oder hackte auf seiner Olivetti rum, immer vorm Stehpult, lief dabei hin und her, rauchte sein Zeug – früher Selbstgedrehte, dann Pfeife –, brabbelte Wörter und bandwurmlange Sätze, schnitt Grimassen, wie ich Grimassen schneide, und bekam gar nicht mit, wenn einer von uns, ich oder mein Atze oder du, Lara, oder bei euch auffem Dorf ihr Jungs oder Taddel, reinguckte bei ihm, wenn er schon wieder was in der Mache hatte. Viel später haben sogar Lena und Nana mitgekriegt, was bei ihm abarbeiten hieß: ein Buch nach dem anderen. Zwischendurch noch anderes Zeug, falls er nicht weg war und Reden hielt, mal hier, mal da. Oder sich wehren mußte, weil von rechts oder ganz links… Doch wenn wir oben bei ihm irgendwas wollten, tat er so, als würd er zuhören, jedem von uns. Gab sogar richtig Antwort. Dabei konnte man ahnen, daß er nur hörte, was in ihm drin tickte, und zwar immerzu. Hat er zu mir gesagt, bestimmt zu jedem von euch, als ihr noch klein gewesen seid: »Später mal spielen wir, wenn ich mehr Zeit hab. Muß erst noch was abarbeiten, das nicht warten will…«

Weshalb es ihn kaum gejuckt hat, wenn die Zeitungsfritzen wieder mal über ihn herfielen…

…fast jedesmal, wenn er ein Buch fertig hatte.

Oder er tat, als würd ihn sowas nicht jucken. »Ist jetzt schon Schnee von gestern«, hat er gesagt.

Berühmt blieb er trotzdem, was manchmal lästig wurde, wenn auf der Straße die Leute...

Konnte peinlich werden, wenn Lehrer uns vollgesülzt haben: »In dieser Angelegenheit ist dein Vater, was du eigentlich wissen solltest, absolut anderer Meinung...«

Bei uns im Dorf wurd er paarmal direkt angepöbelt, nicht nur von Besoffenen, auch beim Einkaufen in Krögers Laden, wenn er...

Dafür soll er im Ausland immer noch echt beliebt sein überall, sogar bei den Chinesen...

Und unser Mariechen hat, wenn die Meute wieder mal über ihn herfiel, »Scheißköter!« gesagt, »Laß die nur bellen. Wir machen weiter.«

Weshalb sie ihm zugearbeitet hat mit ihrer Box.

Bis zuletzt!

Sogar seine Zigarettenkippen, später die Pfeifen alle und seine Aschenbecher voll abgebrannter Streichhölzer, wie sie überkreuz lagen, hat sie geknipst, weil sowas, bekamen Jorsch und ich zu hören, viel mehr von unserem Vater verrät, als er zugibt oder überhaupt von sich wissen will oder kann.

Sein Gebiß mußte er rausnehmen und anschaulich auf einen Teller legen, damit sie...

Wobei sie sich auf den Bauch gelegt hat, um mit ihrer Agfa-Spezial oder der Preisbox von ganz nah...

Einmal in Brokdorf – das war, bevor sie den Atomklotz da hingestellt haben –, sah ich, wie er barfuß bei Ebbe über den Elbstrand lief und sie seine Fußspuren im Sand knipste. Schritt nach Schritt. Sah total irre aus.

Und als er – nehm mal an, aus lauter Verliebtheit – Kamilles Vornamen in den Sand pinkelte, gab auch das Schnappschüsse her.

Los! Knips mal, Mariechen!

Weil sie extrem abhängig von ihm war, nicht nur finanziell, sondern auch...

...und weil umgekehrt unser Vater auf die alte Marie angewiesen war. Immer schon.

Noch vor eurer Kamille!

Womöglich vor unserer Mutter sogar, als er noch sozusagen auf freier Wildbahn...

Sag ich ja, Atze. Mariechen könnte ganz früher mal seine Geliebte gewesen sein. Aber was solls!

Sah bis kurz vor Schluß immer noch zierlich aus...

Jedenfalls hat er oft genug getönt: »Was tät ich ohne unsere Marie!«, so daß wir gedacht haben – ich jedenfalls, Jorsch weniger –, er könnt was mit ihr haben, heimlich. Aber unsere Mutter hat nix gemerkt davon oder tat so, als würd sie nix merken, wie später auch eure Kamille...

Beschwören kanns sowieso keiner, was zwischen den beiden...

Sag ja nur, könnte. Denn als ich ihn gefragt hab, als ich schon auffem Ökohof mehr als zwanzig Kühe im Stall hatte und meinen Käse produzierte, der direkt vom Hof oder in Göttingen auf dem Wochenmarkt wegging, hat er nur gesagt: »Diese besondere Spielart der Liebe, die nebenbei läuft und nicht auf Sex angewiesen ist, beweist sich offenbar als dauerhafter...«

Und als er mich mal in Köln besucht hat, vielleicht um zu prüfen, was bei meiner Lehre beim WDR Sache war, bekam ich zu hören: »Von allen Frauen, die ich geliebt hab oder immer noch liebe, ist Mariechen die einzige, die kein Fitzelchen von mir will, aber alles gibt...«

Na dankschön! Da hat bestimmt wieder mal der Pascha aus ihm gesprochen. Sagte ich schon: eure Marie war extrem abhängig von ihm. Leider, muß man sagen. Ausgenutzt hat er sie, selbst wenn er mit ihr kaum etwas direkt, rein körperlich mein ich, gehabt haben mag. Denn mir hat sie, als ich ganz dringend Fotos für die Bewerbung bei Schauspielschulen benötigte, offen gestanden: »Für deinen Papa, Lena, tu ich alles. Würd sogar den Teufel persönlich mit meiner Box für ihn knipsen, damit er sieht, daß selbst der Teufel auch nur ein Mensch ist.« Waren übrigens ganz normale Bewerbungsfotos, die sie von mir gemacht hat.

Da hab ich aber ein absolut anderes Bild von der ollen Marie: als Kamille und mein Vatti mal wieder weißnichtwohin verreist sind und sie auf Jasper, Paulchen und mich aufpassen sollte, hat sie mir beim Frühstück, kurz bevor unser Schulbus kam, nen Spruch verpaßt: »Du bist genau so ein Rabenaas wie dein Herr Vater. Immer nur ichichich! Der andere, der darf in die Röhre gucken.«

Ich kenn da andere Töne. Als nämlich mein Joggi noch lebte, sich aber nicht mehr u-bahnmäßig benahm, nur noch altersschwach und halbblind war, hat die alte Marie mir ein richtiges Geständnis gemacht: »Kannste glauben, Larakind. Euer Vater hat meinem Hans auf dem Totenbett versprochen, daß er sich um mich kümmern würde, gleich was passiert, selbst wenn es Steine regnen sollte.«

Ach, soviel Durcheinander! Weiß nicht, was ich denken soll. Jeder erzählt anderes. Wir haben ja leider eure alte Marie nur selten erlebt, ich beim Karussellfahren, was wirklich schön gewesen ist, als wir zu dritt dicht bei dicht durch die Lüfte… Und später, als sie uns direkt vor der Mauer, die damals noch stand, geknipst hat. Doch im Prinzip hab ich mich nur immer danach gesehnt, daß mein Papa und ich… Nein, darüber lieber kein Wort mehr. Aber mein Mütterchen, die unseren Papa zu kennen glaubt, war schon immer der Ansicht: die alte Marie ist für ihn so etwas wie Mutterersatz, weil ja seine Mama...

Total daneben, was ihr da spekuliert. Zu mir hat sie, wenn ich bei ihr in der Dunkelkammer war und beim Entwickeln und so zugeguckt habe, klipp und klar nur soviel rausgelassen: »Der Alte kriegt von mir, was er von seinem Knipsmalmariechen haben will. Aber lieben tu ich nur meinen Hans, immer noch, selbst wenn der auch nur son Mistkerl gewesen ist wie all die anderen.«

Okay, okay! Von mir aus könnt ihr noch weiter solch kindisches Zeug... Dabei haben wir selber Kinder, einen ganzen Haufen sogar. Allein Lara fünf. Sollen die doch erzählen, wie sich die Story weiterentwickelt hat, als Mariechen tot war. Na, was bei uns unterm Strich in Ordnung ist oder schieflief inzwischen...

Bestimmt hätte sie manchmal »Achachach« und »Was fürn Kuddelmuddel!« gesagt.

Und ich sag: absoluter Schwachsinn, den ihr verzapft. Habt null Ahnung, was Kuddelmuddel wirklich heißt.

Bei Jorsch zum Beispiel läuft alles normal mit seiner Frau und den Mädels...

Sieht jedenfalls so aus.

Und bei dir, Taddel, genauso.

Überall haben starke Frauen das Sagen.

Wie bei Jasper. Bei dem sorgt seine Mexikanerin schon dafür, daß alles auf Kurs bleibt.

Genau wie Kamille bei dem Alten.

Sechzehn Enkelkinder haben die nun. Taddels Jüngste mitgezählt. Und wenn dann bei Lena, sobald sie mal Pause macht beim Theater, was Kleines dazukommt, und womöglich bei Paulchen und Nana auch, dann können unsere Gören später mal, was ja schon Jasper sinngemäß vorgeschlagen hat, sich uns vorknöpfen...

Nö! Lieber nicht...

Aber ja doch, alle durcheinander, wie wir...

Nur, daß unsere Kinder keine alte Marie haben, die mit einer Fotobox knipst, was ihre heimlichsten Wünsche sind, oder was war und was sein wird, oder, wie es sich unser Papa gewünscht hat, daß wir alle zu seinem achtzigsten Geburtstag, ohne uns oder gar ihn zu schonen, aufs Tonband wie jetzt...

Stimmt nicht! Schon vorher, als er so um die siebzig zählte und wir, die Jungs im Frack und mit steifer Hemdbrust, wir Mädels knöchellang in Samt und Seide, dabei waren in Stockholm, hat er sich gewünscht, was keiner von uns wollte, daß wir erinnerungsmäßig alle drauflos quasseln, freiweg, ohne groß Rücksicht zu nehmen.

Aber keiner wollte...

Doch mit mir hat er getanzt, weil die Band im Schloß extrem schrägen Dixie drauf hatte und ich...

...aber auch mit Kamille hat er...

...richtig, nen Blues.

Gestaunt haben wir, wie die beiden noch immer...

Schade, daß Mariechen nicht dabeisein konnte.

Genau! Mit ihrer Wünschdirwasbox.

Wetten? Hätt bestimmt irre Schnappschüsse gegeben, mit nem gruseligen Totentanz drauf. Wir alle, hopsa, als Knochengerüste, und das Gerippe von Pat, na klar, hopst vorneweg.

Möcht wissen, was aus all den Negativen und tausend Abzügen geworden ist, die sie mit ihrer Agfa geknipst hat. Wenn ich mir ausrechne, was sie allein bei uns, erst in der Karlsbader, dann im Klinkerhaus, an Isochrom-Rollfilmen...

Schätze, sind mehr als tausend gewesen...

Bei unserem Väterchen findet sich angeblich nichts. Als ich mal gefragt hab: »Würd doch ein tolles Familienalbum hergeben, oder? Zum Beispiel all die Fotos mit meinem Joggi, wie er U-Bahn fährt...«

...oder die, auf denen wir wie in der Steinzeit aussehen, ganz zottelig, und an Knochen rumnagen...

...oder wie Taddel als Schiffsjunge auf nem Walfangkutter bei hohem Wellengang...

...oder Jorsch mit seinem Flugmobil hoch über den Dächern von Friedenau...

Aber bitte dann auch die schönen Knipsfotos, auf denen ich zwischen meinem Papa und meinem Mütterchen auf dem Kettenkarussell...

Klar, Nana! Von jedem das, was er sich gewünscht oder wovor er sich gefürchtet hat.

Dann aber auch die Serie, auf der unsere Marie in der Wewelsflether Dorfkirche das alte Bild mit dem Apfelschuß abgeknipst hat. Und hinterher war Paulchen der Junge, dem der Bauer Henning Wulf, weil irgendson bekloppter Graf das unbedingt wollte, den Apfel vom Kopf schießen mußte...

...und dieser Henning Wulf sah, klar, wieder mal wie mein Vatti aus und hatte für seine Armbrust noch nen zweiten Pfeil zwischen den Lippen...

...der war für Graf Soundso bestimmt, falls nämlich der erste Pfeil...

Ist wohl ne nördliche Kopie von Wilhelm Tell gewesen, dieser, wiehießernoch?

Fehlanzeige, Atze! Historisch gerechnet, passierte das lange vorm Schweizer Apfelschuß.

Und was ist aus den Rattenfotos und aus der Serie geworden, auf der unsere Mütter gemeinsam auf einem

Ewer auf der Suche nach Vineta in der Ostsee rumschippern und sich zum Schluß mit Schmuck behängt in ihren allerschönsten Kleidern…

Unser Väterchen hat nur abgewunken, als ich mir ein familienmäßiges Album wünschte: »Was davon zu gebrauchen war, hab ich abgearbeitet, möglichst schnell, denn schon nach kurzer Zeit sind alle Abzüge blasser und blasser geworden, weil die Negative immer weniger hergaben, bis nichts mehr blieb – schade drum.«

Richtig gejammert hat er: »Hätt gern noch den einen oder anderen Abzug. Zum Beispiel die frühen Schnappschüsse mit den mechanischen Vogelscheuchen drauf. Oder die Serie mit dem Hund, wie er bei Kriegsende von Ost nach West auf der Flucht ist und rennt und rennt. Wär was fürs Archiv.«

Und als ich ihn gelöchert hab, bekam ich zu hören: »Da mußt du Paulchen fragen. Der steckte doch bis zum Schluß bei ihr in der Dunkelkammer. Vielleicht hat Paulchen noch Material, das brauchbar ist.«

Na also!

Hab mir schon Ähnliches gedacht.

Auch wollen wir wissen, obs stimmt, was für unseren Vater bloß Vermutung gewesen ist, daß nämlich Mariechen je nach Bedarf ein Gläschenvoll von ihrer Pipi in die Entwicklerwanne, weil nur so…

Los, Paulchen! Rück raus damit…

Und komm uns bloß nicht mit Betriebsgeheimnis…

Nix weiß ich. Nix hab ich. Liegt alle daneben. Und das mit ihrer besonderen Pisse glaubt ihr doch selber nicht. Ist eurem Vater nur eingefallen, weil im Mittelalter die Hexen… Totaler Blödsinn ist das. Ganz normalen Entwickler haben wir in der Wanne benutzt. Kam ohne Tricks und Mogeln aus, unsere Marie. Doch was es an Negativen von früher gab, hat sie vernichtet. »Teufelszeug ist das!« hat sie gerufen und dann beschlossen, und zwar an einem Sonntag, als wir beide allein im Haus hinterm Deich waren, alles, was noch da war von früher, sag ja, alle Negative einfach in einen Eimer zu schmeißen, Streichholz dran – gab ne Stichflamme – und verschmurgeln zu lassen. Passierte genau einen Tag, nachdem beschlossen wurde, weil Kamille das wollte, nach Hamburg zu ziehen, um für uns...

Endlich raus aus dem Kaff!

Ging uns, am Schwanenwik mein ich, absolut besser. Kamen nun mit dem Schulkram klar, jedenfalls ich im Vergleich mit Wilster.

Aber Marie hat den Umzug vom Dorf weg nicht verkraften können, wurde krank, sah wie magersüchtig aus...

Und als dann mein Papa leider auch noch die alte Kirchspielvogtei an irgendeine Kulturbehörde verschenkt hat, damit sich irgendwelche Schriftsteller oben unterm Dach oder in dem schönen gelbgrün gefliesten Zimmer was ausdenken konnten, als all das leider nun auch noch weg war, da hat sich eure alte Marie in dieser für sie extrem neuen Situation nicht zurechtfinden können, ist regelrecht aus dem Dorf geflüchtet, zurück in die Stadt, wo sie ganz mutterseelenallein in ihrem viel zu großen Atelier am Kudamm gehaust hat, bis sie kränker, immer kränker wurde und schließlich...

War wirklich schlimm, weil ihre Nieren...

Mußte ins Krankenhaus gebracht werden.

Ausgerechnet Mariechen, die nie krank gewesen ist und sich selbst fürn »zähes Luder« gehalten hat...

Aber Kamille hat für ein Einzelzimmer gesorgt.

Weil aber in dem katholischen Krankenhaus, in dem es Nonnen als Stationsschwestern gab, an der Wand über ihrem Bett ein Kruzifix hing...

...soll die olle Marie mit dem Kreuz nach ner Nonne geworfen haben...

...weil die ihr, was eigentlich als Pflegeleistung okay gewesen wäre, unbedingt die Füße waschen wollte...

Aber geschmissen hat sie nur, weil die Nonne zu ihr gesagt haben soll: »Aber, aber! Wir wollen doch mit sauberen Füßen vor unseren Herrgott treten.«

Nur deshalb ist sie ausgerastet, hat absolut die Kontrolle verloren, das Kreuz von der Wand gerissen und beinah den Kopf von der Nonne...

Typisch Mariechen!

Ne Wahnsinnsstory, die sie am nächsten Tag brühwarm Kamille erzählt hat.

Und dann soll die olle Marie noch gesagt haben: »Schade. Wenn ich doch bloß meine Box bei mir gehabt hätte, dann wär mir das fromme Miststück nackt, wie ihr Herrgott sie geschaffen hat, auf paar Schnappschüsse in den Sucher geraten...«

Ist dann gestorben, nur wenige Tage später.

...die Füße immer noch ungewaschen.

Liegt auffem Zehlendorfer Waldfriedhof bei ihrem Hans, logo.

Ach, ist das traurig alles...

Wie alt war unser Mariechen eigentlich?

Hat keiner gewußt, nicht mal Vater genau.

Konnt ganz schön wütend werden, wenn ihr was querlag oder sich einer von euch, sag ich mal, taddelmäßig benommen hat.

Ist aber, wie Lena und ich gehört haben, ganz friedlich gestorben...

...und zwar nicht auf Station, sondern im eigenen Bett...

Soll als Tote noch mädchenhaft ausgesehen haben.

War leider niemand dabei von uns, als sie starb, die Arme...

Selbst unser Papa nicht.

Ganz einsam ist sie...

Neinneinnein! Lief total anders ab. Weder in der Stadt noch direkt im Dorf. Auf dem Deich ist es passiert, und zwar bei Sturm...

Na gut, Paulchen, erzähl...

War doch dabei. Rief immerzu: »Laß uns kehrtmachen, Mariechen!« Aber sie lief und lief immer weiter, Richtung Hollerwettern, zum Elbdeich hin. War total klarer Himmel über der Marsch. Mindestens Sturmstärke zehn, wenn nicht zwölf... Kam diesmal von Ost, nicht wie sonst von Nordwest. »Nun reichts, Mariechen!« hab ich gerufen. Sah aber aus, als würd ihr das Spaß machen, Laufen bei Sturm. Ganz schräg lief sie gegenan. Ich bestimmt auch. Nur der Hund wollte nicht mehr. Bis dahin, wo der Stördeich auf den Elbdeich stößt, sind wir... Doch Paula war vorher schon weg. Ist Flut gewesen. Aber kaum Schiffe auffem Fluß, auch weil Sonntag war. Sagt ich ja schon, daß sie vorher im Eimer alle Negative von früher...

Ne Stichflamme gabs, haste gesagt.

Aber hier nun, auf dem Elbdeich, fegte der Sturm noch böiger. Dabei hatten wir klare Sicht nach drüben rüber und elbabwärts bis Brokdorf hin, wo schon die Baukräne standen, na, für die Atomscheiße, die beschlossen war. Mehr gabs nicht zu gucken, weil nun eine Bö nach der anderen. »Mariechen!« hab ich gerufen, »du fliegst mir noch weg!« – Und da flog sie schon. Hob einfach ab. Muß ne scharfe Bö gewesen sein. Und leicht, wie sie war, zog es sie, nein, flog sie, stieg auf direkt überm Deich, steil, fast senkrecht hoch, war nur noch ein Strich, dann Punkt, bis sie weg, verschluckt vom Himmel... Sag ich ja, blau war der, total blau. Keine Wolke. Leergefegt blau. Und da, auf einmal, fiel was. Fiel mir direkt vor die Füße. Jadoch, vom Himmel runter direkt vor die Füße. War ihre Box samt Riemen zum Umhängen. Lag da, na, wie vom Himmel gefallen. Ist aber nix kaputtgegangen beim Sturz. Hätt mich glatt treffen können, wie ich genau da auf dem Deich stand und noch immer geguckt hab, nach oben, wo unser Mariechen grad noch ein Strich, dann Punkt gewesen, nun aber weg war, total...

Typisch Paulchen.

Alles gesponnen!

Absolut ausgedacht haste dir das.

Oder mal wieder geträumt...

Ist aber ein schönes Bild, wie eure alte Marie einfach zum Himmel hoch...

Und dann fällt auch noch ihre Box...

Doch vorstellen kann man sich schon, wie sie bei Sturmwetter rein himmelfahrtsmäßig...

Federleicht wie sie war.

Los weiter, Paulchen!

Laß dich nicht ablenken.

Ja, bitte, Paulchen! Was kam dann?

Bin erstmal total daneben gewesen. Dachte: du spinnst. Das haste geträumt bloß. Aber dann lag da nicht nur ihre Agfa, nein, auch ihre Schuhe standen, mit den Socken drin, auf dem Deich. Hab ich vergessen vorhin, daß, als sie abhob und ich »Mariechen!« geschrien hab, sie – und da flog sie schon – »Aber mit sauberen Füßen!« gerufen hat. Jedenfalls sah ich, wie sie barfuß nach oben weg immer kleiner und kleiner wurde. War so. Was sollt ich machen. Hab mich gebückt, mir die Schuhe samt Socken, die Agfa-Box geschnappt, sie mir umgehängt und bin, nun mit Rückenwind, zurück zum Dorf, aber nicht übern Deich, sondern durch die Stöpe, dann die Straße längs, direkt auf den Kirchturm zu. Und weil ich nicht gewußt hab, was machen – Taddel war bestimmt irgendwo mit seiner Braut beschäftigt, Jasper schon weg in Amerika bei seinen Mormonen und Kamille mit dem Alten in Holstein auf Wahlkampf unterwegs –, bin ich ins Haus hinterm Deich, gleich in die Dunkelkammer. Wollt nur mal sehen, ob was auf dem Rollfilm war, den sie eingelegt hatte, bevor sie loszog und noch zu mir sagte: »Will mal kurz übern Deich, bißchen Luft schnappen. Ist so schön stürmisch draußen. Kommste mit, Paulchen?« Naja. Konnt ich nun sehen: abgeknipst war der Film. Hab ihn entwickelt, wie ichs gelernt hab bei ihr. Dachte zuerst, ich spinne oder hab was falsch gemacht beim Entwickeln. Muß Mariechen barfuß von oben runter, als sie wegflog. Acht Schnappschüsse und alle gestochen scharf. Von hoch oben runter und von immer höher rauf, aus ner total irren Perspektive...

Und? Konntste das Dorf sehen, die Werft?

Die alte Kirchspielvogtei, den Friedhof dahinter?

Was ich sah, war Zukunft. Alles nur Wasser! Die Deiche, weil überspült, sah man nicht mehr. Nix von der Werft. Vom Dorf guckte grad noch die Kirchturmspitze raus. Und nach Brokdorf hin ragte was, das wie das obere Stück von nem Kühlturm aussah. Sonst nur Wasser, kein

Schiff drauf, kein nix. Nicht mal ein Floß, auf dem sich paar Menschen gerettet hätten. Wißt ihr, wie auf der Fotoserie, die Mariechen von uns gemacht hat, auf der wir alle acht – ja, Lena und Nana, ihr auch – auf einem Floß hocken, ganz zottelig aussehen, riesige Knochen benagen und Fischgräten ablutschen, weil sie uns in die Steinzeit versetzt hat. Muß damals ne ähnliche Sturmflut gewesen sein, die wir mit bißchen Glück überlebt haben. Diesmal aber war keiner davongekommen. Oder alle – konnt man nur hoffen – sind gerade noch rechtzeitig weg, bevor das Wasser stieg und stieg und – wie mans bisher nur aus dem Fernsehen kannte – die Deiche überspülte, so daß die ganze Marsch, nicht nur die Wilster-, auch die Krempermarsch, vollief. Sah total traurig aus, was Mariechen zuletzt noch geknipst hat. Da hab ich in ihrer Dunkelkammer geweint. Mußte weinen, na, weil sie nun weg war nach ihrer Himmelfahrt. Nur die Schuhe, die Socken noch, an denen meine Paula geschnuppert und dann leise gejault hat, weil sie kurz vor Hollerwettern kehrtgemacht hatte und jetzt überhaupt nix begriff. Aber vielleicht hab ich auch weinen müssen, weil auf den letzten Schnappschüssen unsere Zukunft so traurig aussah: nur Wasser, überall Wasser. Hab dann noch aufgeräumt in der Dunkelkammer, weil bei Mariechen Ordnung sein mußte. Und die Fotos hab ich zerschnipselt, sogar die Negative. Hätt sie bestimmt genauso gemacht und dabei »Alles nur Teufelszeug« gemurmelt. Hab aber davon, na, von der Himmelfahrt und von den letzten Fotos, keinem was erzählt, sogar Kamille bis heute kein Wort. Denn eigentlich glaub ich nicht, daß es so schlimm…

…oder noch schlimmer: kein Wasser und deshalb alles vertrocknet, versteppt. Wüste, nur noch Wüste!

Oder stimmt alles nicht. Paulchen hat bloß geträumt wieder mal.

Genau wie bei der Himmelfahrt.

Aber was man im Traum sieht, kann trotzdem wahr werden...

Absolut katastrophensüchtig seid ihr.

...so daß wir, wenn überhaupt, nur noch steinzeitmäßig...

Und wo ist die Box hin?

Los, sag schon, Paulchen, was ist aus Mariechens Box geworden?

Und wo sind die Schuhe?

Wer hat die Box?

Du etwa?

Taddel meint, was hinterher, als Mariechen gestorben war, aus ihrem Zeug wurde...

...oder wer was geerbt hat, als sie – nur mal angenommen – mit Hilfe von ner kräftigen Sturmbö, wie unser Paulchen das erlebt haben will, einfach abgehoben hat und weg ist seitdem...

...und nun bei ihrem Hans im Himmel...

...oder in der Hölle!

Wär ihr schnurzpiepegal gewesen. Hauptsache, bei ihrem Hans.

Eure Kamille sagt: Was von Mariechen geblieben ist, rein nachlaßmäßig mein ich, soll sich der Fiskus unter den Nagel gerissen haben, weil sie sich geweigert hatte, sowas wie ein Testament...

Ist also futsch alles: die Leica, die Hasselblad, was sie sonst noch hatte?

Aber doch nicht die Box!

Die sowieso nur Schrott war...

Sag schon, Paulchen, ob du…

Geht in Ordnung, wenn sie bei dir, wo du doch von Beruf Fotograf bist und bestimmt…

Wär wirklich okay, wenn du…

Nix sag ich. Glaubt mir sowieso keiner.

Wetten, daß er den Kasten in Sicherheit gebracht hat, vielleicht versteckt irgendwo in Brasilien…

Stimmts, Paulchen?

Wolltest bestimmt im Regenwald letzte Indianer mit Mariechens Box knipsen, und was an Bäumen noch übrig geblieben ist.

Also, wo ist sie hin?

Jadoch, verdammt, wo?

Hört endlich auf.

Paulchen wird schon wissen, warum er mit keinem Wort…

Jeder hat Heimlichkeiten.

Ich sag euch ja auch nicht alles.

Keiner sagt alles.

Und unser Väterchen schon gar nicht.

Außerdem gabs keine Neuigkeiten mehr aus der Dunkelkammer zu erzählen, seitdem es kein Mariechen und keine Box mehr gab und danach alles langweilig wurde, nur noch normal lief.

Weshalb jetzt Schluß sein sollte.

Schluß ist!

Für mich sowieso, weil ich nämlich und zwar sofort in die Klinik… Hab Nachtdienst wie gestern schon. Da hatten wir fünf Geburten, jede unkompliziert. Nur eine Mutter war deutscher Herkunft. Die vier anderen kamen von überall… Will übrigens Schnappschüsse von den fünf Babys machen. Will ich jetzt immer nach jeder Geburt…

Und zwar mit einer Box, die ich mir kürzlich auf dem Flohmarkt... War nicht mal billig, sieht aber aus wie die von eurer alten Marie. Steht sogar Agfa drauf. Die Mütter freuen sich bestimmt, wenn ich Knipsfotos von ihren Babys... Mach ich, weil sowas für die Erinnerung gut ist, aber auch als Hebamme, rein berufsmäßig, wie Lara sagen würde, und weil man so vielleicht sehen kann, was aus den Babys später, viel später mal...

Los, Atze, stell ab, sonst gehts weiter und weiter, endlos so weiter...

...weil unsrem Vater immer noch ne Geschichte...

...denn nur er, nie wir...

Aber nichts hat er mehr zu sagen. Erwachsen blicken die Kinder streng. Sie weisen auf ihn mit Fingern. Das Wort wird dem Vater entzogen. Laut und mit Nachhall rufen die Töchter, die Söhne: »Das sind nur Märchen, Märchen...« – »Stimmt«, hält er leise dagegen, »doch sind es eure, die ich euch erzählen ließ.«

Schnelle Blicke wechseln. Halbsätze zerkaut, verschluckt: beteuerte Liebe, aber auch Vorwürfe, die schon seit längerer Zeit vorrätig lagern. Schon soll nicht gelten, was auf Schnappschüssen gelebt wurde. Schon heißen die Kinder, wie sie richtig heißen. Schon schrumpft der Vater, will sich verflüchtigen. Schon regt sich flüsternd Verdacht, er, nur er habe Mariechen beerbt und die Box – wie anderes auch – bei sich versteckt: für später, weil immer noch was in ihm tickt, das abgearbeitet werden muß, solang er noch da ist...

Inhalt

Erste Auflage September 2008
© Steidl Verlag, Göttingen 2008
Alle Rechte vorbehalten
Lektorat: Helmut Frielinghaus, Jan Strümpel
Buchgestaltung: Günter Grass, Gerhard Steidl, Sarah Winter
Gesamtherstellung: Steidl, Göttingen
www.steidl.de
Printed in Germany
ISBN 978-3-86521-771-4

Günter Grass
Beim Häuten der Zwiebel

480 Seiten mit 11 Rötelvignetten
Leineneinband mit Schutzumschlag

*

Günter Grass erzählt vom Ende seiner
Kindheit beim Ausbruch des Zweiten
Weltkriegs. Vom Knaben in Uniform,
der so gern zur U-Boot-Flotte möchte
und sich hungernd in einem Kriegsge-
fangenenlager wiederfindet. Von dem
jungen Mann, der sich den Künsten ver-
schreibt, den Frauen hingibt und in Paris
an der »Blechtrommel« arbeitet. Grass
erzählt von der spannendsten Zeit eines
Menschen: den Jahren, in denen eine
Persönlichkeit entsteht, geformt wird,
ihre einzigartige Gestalt annimmt.
Zwischen den vielen Schichten der
»Zwiebel Erinnerung« sind zahllose Er-
lebnisse verborgen. Grass legt sie frei,
zeichnet zudem liebevolle Porträts von
seiner Familie, von Freunden, Lehrern,
Weggefährten. »Beim Häuten der Zwiebel« ist ein mit komischen und traurigen, oft ergreifenden Geschichten prall
gefülltes Erinnerungsbuch, das immer
wieder Brücken in die Gegenwart
schlägt.

Steidl Verlag · Düstere Str. 4 · 37073 Göttingen
www.steidl.de

Günter Grass liest
Beim Häuten der Zwiebel

16 CDs mit Booklet in Kassette
Gesamtspielzeit 15 Stunden

*

Spannende Zeitreise, lebendiger Selbst-
bericht, aufrichtiges Erinnerungswerk –
in »Beim Häuten der Zwiebel« erzählt
Günter Grass von seinen jungen Jahren,
von seinen Einflüssen, Begegnungen,
Irrtümern und seinen Lehren aus der
Geschichte. Vom Autor gelesen, gewinnt
das große Erinnerungsbuch eine weitere
Dimension: Niemand kann so gut wie
Grass selbst den Klang und Rhythmus
seiner fesselnden Sprache modulieren.
Günter Grass zuzuhören, ist immer ein
besonderes Vergnügen. Vollständig und
voller Kraft und Esprit hat er seine
Lebensgeschichte für dieses Hörbuch
eingelesen.

Steidl Verlag · Düstere Str. 4 · 37073 Göttingen
www.steidl.de

Günter Grass
Im Krebsgang

Eine Novelle, 216 Seiten
Leineneinband mit Schutzumschlag

*

Der Journalist, der hier in fremdem Auf-
trag schreibt, hat wenig Lust, die alte,
fast vergessene Geschichte von der
Schiffskatastrophe auszugraben, die sich
1945 in einer eisigen Januarnacht in der
Ostsee abspielte. Hundertmal hat ihm
seine Mutter vom Untergang der »Wilhelm Gustloff« erzählt. Jetzt, fünfzig
Jahre später, beim Recherchieren im
Internet, macht er die erschreckende
Entdeckung, daß sie eine ihn unmittel-
bar betreffende Fortsetzung hat.
Im Krebsgang, im beharrlichen Hin und
Her zwischen Einst und Jetzt zeichnet
der Erzähler die historischen Ereignisse
nach, die mit unheimlicher Folgerichtig-
keit zum größten Schiffsunglück aller
Zeiten führten und nun, verdreht, ver-
zerrt, einen irrsinnigen Mord auslösend,
in der Gegenwart und im Leben seines
verstaubten Mythen anhängenden Soh-
nes fortwirken.

Steidl Verlag · Düstere Str. 4 · 37073 Göttingen
www.steidl.de

Günter Grass
Werke – Göttinger Ausgabe

8 872 Seiten, 12 leinengebundene Bände
im Schmuckschuber

*

Die »Göttinger Ausgabe« enthält sämt-
liche Werke von Günter Grass bis hin
zu »Beim Häuten der Zwiebel« sowie
den jüngsten Gedichten und Reden. Der
Textbestand wurde noch einmal kritisch
durchgesehen. Die neue Ausgabe ist
schön und handlich: Das Gesamtwerk
ist in zwölf Bände zusammengefaßt, auf
feinstes Dünndruckpapier gedruckt und
in blaues Leinen gebunden.

Die »Göttinger Ausgabe« ist die neue,
unerläßliche Referenz-Edition für For-
schung, Lehre und Bibliotheken.

Steidl Verlag · Düstere Str. 4 · 37073 Göttingen
www.steidl.de